JEAN SBO

Charles Nodier

Edition : Culturea (culurea.fr), 34 Hérault
Contact : infos@culturea.fr
Impression : BOD, Norderstedt (Allemagne)
ISBN :9791041834129
Date de publication : juillet 2023
Mise en page et maquettage : https://reedsy.com/
Cet ouvrage a été composé avec la police Bauer Bodoni

PRÉLIMINAIRES

Je ne dirai pas quelles circonstances me décidèrent à publier en 1848 le roman de *Jean Sbogar,* ébauché en 1812 aux lieux qui l'ont inspiré. Il me suffira de noter en passant que j'entrais alors dans une carrière très sérieuse où je n'ai fait qu'un pas, et que cette considération me défendait d'attacher mon nom au frontispice. La politique de Jean Sbogar eût été en effet une mauvaise recommandation pour l'homme qui allait professer les sciences politiques dans la petite Tartarie ; et personne ne s'étonnera que l'auteur, reconnu malgré ses précautions, y ait été mis à l'*index* comme son livre. On pourra juger au reste par l'opportunité de cette publication du haut esprit de convenances et d'aptitude aux concessions intéressées qui m'a dirigé dans toutes les grandes affaires de ma vie.

Le succès me dédommagea un peu cette fois des vicissitudes de la faveur. L'anonyme me porta bonheur dans les journaux où l'on a toujours toléré assez volontiers la vogue passagère d'un écrit nouveau, quand elle ne tire pas à conséquence pour une réputation. L'impression d'un moment que produisit cette bagatelle était d'ailleurs fort étrangère au mérite intrinsèque du livre. Elle résultait de la disposition générale des esprits que les événements des années antérieures avaient peu à peu ramenés aux doctrines de la liberté, et le caractère de mon héros m'avait permis de porter à leur dernière expression des théories dont je suis loin d'accepter en tout point la responsabilité. Elle était grave alors, et le serait peut-être aujourd'hui davantage si les prolétaires lisaient les romans. Je me réjouis de penser que les progrès de la civilisation n'en sont pas encore venus là, et que les rêveries de mon Gracchus de Spalato n'exerceront pas plus d'influence jusqu'à nouvel ordre sur les sociétés vivantes que celles du dieu qu'on adorait à la rue Taitbout.

Il faut pourtant que ma brochure en deux volumes ait porté quelque empreinte d'un caractère d'homme, puisqu'on ne trouva qu'un homme à qui l'attribuer, et que ce fut (j'en demande humblement pardon à sa noble mémoire) mon illustre ami Benjamin Constant. Des journalistes qui se crurent mieux avisés, et qu'avait trompés je ne sais quel mélange d'ascétisme d'amour et de philanthropie désespérée qui se confondent dans cette bluette, en accusèrent madame de Krüdener, qui n'était pas un homme, et qui commençait à n'avoir plus de sexe. Je n'intervins pas dans ce débat qui ne pouvait durer longtemps. *Adolphe* et *Valérie* répondaient pour leurs auteurs.

Me voici parvenu à l'histoire du plus éclatant de mes succès, et je ne peux guère m'y tromper, car je ne suis pas ébloui par la quantité. Je raconte des faits, et c'en est assez pour mettre mon humilité à son aise. Je crois avoir dit quelque part qu'une préface était un ouvrage d'orgueil ; je le répète volontiers. Orgueil innocent au reste, et presque digne d'une tendre compassion, que celui qui se fonde sur le bruit d'un petit livre, et qui dure tout juste le temps de l'escorter du magasin sous le pilon, en attendant qu'il subisse une nouvelle métamorphose dans les moules du cartonnier ! La vieille Marie de Gournay, digne fille d'alliance de Montaigne, a merveilleusement exprimé ma pensée dans un vers sublime qui ferait envie à nos jeunes et brillants poètes :

L'homme est l'ombre d'un songe, et son œuvre est son ombre.

En vérité, *Jean Sbogar* n'est que mon ombre, tout au plus, ou je me suis grandement trompé sur la pauvre place que je tiens au soleil.

Le nom de l'auteur de *Jean Sbogar* revint à Paris de Sainte-Hélène. Ce n'est pas le plus long de mes voyages, mais c'est l'*Odyssée* de ma renommée. On ne la reprendra jamais à voler si loin. Napoléon, dont le goût littéraire n'était pas bien sûr, témoin sa prédilection pour les supercheries épiques de Macpherson, et pour le pastiche homérique de Luce de Lancival, s'occupa de *Jean Sbogar* pendant deux jours. Les journaux anglais annoncèrent qu'il avait passé une nuit à le lire, et quelques heures à l'annoter sur un exemplaire qui est resté, à ce qu'on m'a dit souvent, dans les mains du général Gourgaud. Quant au souvenir de mon nom, il ne serait pas tout-à-fait nécessaire, pour supposer qu'il l'eût conservé, de lui attribuer la puissance de mémoire de César, qui appela, chacun par le sien, les quarante mille soldats dont il était accompagné dans les plaines de Pharsale. Si Napoléon a cru réellement, comme il l'a dicté à ses chroniqueurs, qu'il ne se soit fait, sous son règne, que vingt-six arrestations sans mandat judiciaire et sans écrous, sur lettres de cachet revêtues de sa signature impériale, j'aurais bien pu me trouver là. Cette particularité s'explique, heureusement, d'une manière encore plus naturelle, par un fait très simple. Un des amis de Napoléon, à Sainte-Hélène, avait été le mien, à Paris, en 1814, et il savait l'histoire de *Jean Sbogar*, dans un temps où je ne pensais pas à l'achever. Je suis fier, mais je suis sincère ; une pareille circonstance rabat beaucoup de l'illustration qui résulterait pour moi d'avoir été deviné par Napoléon, et j'aurais renoncé volontiers à ce titre équivoque de gloire, s'il m'avait été permis d'en faire tort à mon éditeur.

Quoi qu'il en soit, cette apostille, venue de haut lieu, excita probablement un instant de rumeur dans le bureau de rédaction des feuilletons bonapartistes où je ne jouissais pas d'un grand crédit. Je suppose que ce fut d'abord une assez grave question que de savoir si l'auteur de *Jean Sbogar* avait gagné quelque peu de chose en capacité, ou si Napoléon était tombé en enfance. Comme il n'était pas de ma destinée d'être pesé dans une telle balance, j'ai aujourd'hui quelque pudeur à le dire. Tout en y réfléchissant, les rédacteurs qui étaient gens habiles, et qui l'ont supérieurement prouvé depuis, convinrent d'un parti moyen. Il fut décidé qu'on n'invente rien en littérature, ce qui est tout-à-fait mon avis ; que cela est défendu plus spécialement qu'à personne aux écrivains qui ne sont pas de l'Académie, ce que je n'admets pas d'une manière aussi exclusive, et que tout homme qui avait osé composer *Jean Sbogar* serait convaincu de l'avoir volé. Cette résolution passa, je dois le dire, à l'unanimité. Le procureur du roi n'informa point. Il avait cependant beau jeu.

Byron parut tout juste, en français, au milieu de la discussion, et on s'aperçut soudainement, tant sont profondes les perspicacités de la malveillance, que mon malheureux voleur avait été volé au *Corsaire*. Il est vrai que *Jean Sbogar* avait quatre ou cinq ans de plus que son aîné d'invention ; mais on n'y regarde pas de si près quand on dispute avec l'agneau. La critique a un bon côté. Je lus Byron, que je connaissais à peine pour l'avoir entendu nommer deux ou trois fois à madame de Staël. Je l'ai lu souvent depuis avec une admiration dont il n'est pas redevable à ma reconnaissance. *Le*

Corsaire ressemble à beaucoup de choses, comme tout ce que l'on écrira d'ici à la fin des siècles. Il m'a été impossible, et j'en fais mon compliment a Byron, de lui trouver le moindre rapport avec *Jean Sbogar.* Certainement, ce n'était pas là le cas de dire, dans aucune acception possible, que les beaux esprits se rencontrent. Si j'avais été Byron, j'aurais porté plainte. Byron, qui savait le français précisément comme je sais l'anglais, ne se plaignit point. Il est mort sans avoir ouvert ni *Jean Sbogar,* ni les journaux où il en est question, et ce n'est pas de cela qu'il est mort.

Je ne me plaignis pas non plus. La bibliographie m'avait bien quelques obligations. Je ne m'étais jamais sérieusement occupé que d'elle, et comme c'est son affaire d'éclaircir les dates et de redresser les torts littéraires, j'espérais qu'elle me vengerait, si jamais, bibliographie et moi, nous arrivions côte à côte par-devant la postérité. C'est alors que s'imprimait, sur un papier magnifique, et décoré au frontispice de l'ancre scientifique des Aldes, l'excellent *Catalogue de la bibliothèque d'un amateur.* Le docte et ingénieux auteur se garda bien de me reprocher d'avoir volé Byron ; il était trop fort pour cela sur le synchronisme des livres, et il estimait à leur prix ces sornettes, bonnes tout au plus pour l'érudition d'un journal ; mais après avoir fait justice de cette polémique *aigre-douce,* à laquelle il oubliait probablement que je n'avais pas concouru, il me déclara voleur, en sa qualité de juré-critique. Il n'y avait que le nom du volé de changé. Vous me direz que les voleurs ne savent pas toujours le nom des gens qu'ils volent; mais vous seriez peut-être aussi embarrassé que moi si on vous accusait d'avoir volé Zchocke.

Cette notule beaucoup plus *aigre-douce,* pour ne pas dire plus aigre, que ma polémique, à laquelle je n'avais jamais pensé, me plongea dans une cruelle consternation. Je me trouvais atteint et convaincu, dans un livre doué du principe de vie, du crime d'avoir volé Zchocke, moi qui ne voudrais voler personne au monde, fût-ce Zchocke, moi qui ne connaissais pas Zchocke, bien qu'il eût été traduit par M. Lamartelière, et qu'il se trouvât de ladite traduction dudit Zchocke un exemplaire en papier vélin à dos de maroquin bleu dans la bibliothèque de M. Renouard ; moi qui n'étais pas digne de connaître Zchocke en 1812, puisque je ne connaissais pas Byron ! j'allai demander partout des nouvelles de Zchocke. Au diable qui avait ouï parler de Zchocke ! Je commençais à me persuader enfin que la pièce de Zchocke n'existait qu'à un exemplaire, qui tenait sa place chez M. Renouard, parmi tant d'autres précieuses raretés, quand mon bon camarade, M. de Pixerécourt, m'apprit que Zchocke était en effet l'auteur d'un drame qui n'avait aucun rapport avec *Jean Sbogar*, et dont il avait composé, lui, un mélodrame qui valait cent fois mieux que *Jean Sbogar* et le drame de Zchocke. Je n'eus aucune peine à le croire, mais je ne voulais juger que pièces en main, tant j'avais à cœur, dans mon innocence littéraire, de n'avoir pas pillé Zchocke.

Je finis par le trouver. Quelle humiliation, grand Dieu ! D'abord, mon héros s'appelle Jean Sbogar, celui de Zchocke, Abelino ; et mon savant confrère à l'ancienne Académie celtique, Éloi Johanneau, vous prouvera quand vous voudrez que c'est littéralement la même chose. En second lieu, Abelino est un grand seigneur qui se fait passer pour un bandit, et Jean Sbogar un bandit qui se fait passer pour un grand seigneur. Le plagiat devient sensible. Troisièmement, Abelino est marié avec la plus riche héritière de la République, et Jean Sbogar refuse d'épouser la jeune fille qu'il aime, de peur de la tacher de son infamie. Le larcin est flagrant. Quatrièmement, Abelino sauve son pays en trahissant la foi qu'il a jurée à des voleurs ; et Jean Sbogar, qui n'a porté ses vues qu'à la liberté ou à l'échafaud, marche à la mort avec ses compagnons. Ici l'effronterie du vol va jusqu'à l'impudence. Enfin les deux actions se passent à Venise, où jamais on n'avait eu l'idée de placer une autre action romanesque, et c'est, pour cette fois, comme si vous me preniez la main dans la poche de Zchocke !

Je suis né très sensible à cette partie de la critique littéraire qui implique des questions morales. Je n'avais rien en à faire avec Zchocke, mais il me semblait que tout le monde pouvait dire en me voyant passer : Voilà le plagiaire de Zchocke. J'avais appris que Zchocke était un de ces *talents éminents qu'on ne* rencontre pas souvent sur la route des réputations, et sur cette route-là j'étais bien sûr de mon *alibi ;* mais cela ne me tranquillisait pas. J'avais des visions de Zchocke et d'Abelino. J'avais des cauchemars d'Abelino et de Zchocke ; j'en fis une grosse maladie dont je ne fus sauvé que par le sentiment de ma vertu. Je tenais en effet une bien grande consolation en réserve dans le for intérieur de ma conscience injustement soupçonnée : c'est que je n'avais eu besoin de prendre

Jean Sbogar à personne, puisque je devais au hasard l'avantage peu envié, selon toute apparence, de l'avoir connu assez particulièrement.

Pendant que j'y réfléchissais, il arriva une chose fort singulière ; c'est qu'on oublia aussi complètement mon livre que s'il n'avait jamais paru. Il fallut me résoudre à garder ma défense pour la troisième édition. Aujourd'hui que revoilà *Jean Sbogar*, et qu'il en sera peut-être question jusqu'à demain, je me vois obligé à déclarer que personne au monde n'a de plagiat à m'imputer dans celle affaire, si ce n'est, peut-être, le greffier des assises de Laybach en Carniole, l'honnête M. Repisitch, qui voulut bien me donner, dans le temps, les pièces de la procédure en communication, pour y corriger quelques germanismes esclavonisés dont il craignait de s'être quelquefois rendu coupable dans la chaleur de la rédaction. Je proteste en outre que tout ce que j'ai pris dans son dossier se réduit à certains faits que je n'aurais pas pu mieux inventer, quand j'aurais été Zchocke, et qu'il n'y a rien dans mon cœur qui me reproche de lui avoir fait tort d'une seule des formes de son style, ce bon M. Repisitch étant très entêté sur le classique du greffe, qui n'est pas celui du roman.

On vous dira en Istrie, en Croatie, en Dalmatie, quand vous prendrez la peine d'en tirer des informations, que je n'ai pas fait un grand effort d'esprit pour inventer le nom de Jean Sbogar. Mon principal personnage s'appelait ou se faisait appeler Jean Sbogar, et je présume que les petits enfants des bords du golfe de Trieste vous l'attesteraient encore comme moi, car le nom des chefs de voleurs a le même privilège que celui des conquérants : on s'en souvient partout où ils ont passé. La cour de justice qui le condamna était présidée par M. le comte Spalatin. Les juges que je me rappelle étaient M. de Koupferschein et M. de Giscelon ; les hautes fonctions du ministère public étaient exercées, avec la toute-puissance d'un jeune et précieux talent, par M. Desclaux, procureur-général impérial, qui tient maintenant une place distinguée parmi les avocats de la cour de cassation, et qui me défendrait volontiers, si j'avais besoin de son secours en dernier ressort, de la méchante imputation d'avoir pris *Jean Sbogar* dans une tragédie de Zchocke. Il sait que je l'ai trouvé tout fait.

Jean Sbogar ne fut cependant remarqué du tribunal que par cette expression plus qu'humaine de physionomie qui était le trait caractéristique de son signalement, et qui le faisait tenir, selon l'expression de Schiller, de l'ange, du démon et du Dieu. L'intérêt moral de sa défense consistait à mourir sous le nom obscur d'un simple aventurier morlaque, en se dérobant à toute identité avec le ménechme éblouissant dont le déshonneur devait froisser toutes ses amitiés et flétrir toutes ses amours. Il ne répondit aux questions de ses juges que par l'affirmative ou la négative esclavone, et s'il faillit se trahir, ce fut seulement à la lecture du jugement capital, prononcé en français, qui ne frappait en lui qu'un bandit vulgaire. La nuit s'avançait au point qu'on venait d'être obligé d'apporter des flambeaux. J'étais debout contre sa banquette ; je remarquai qu'il écoutait cette langue qu'il avait refusé de comprendre, et qu'un regard de joie illumina ses yeux, quand il put reconnaitre au texte de la condamnation qu'elle avait écarté les faits relatifs à ses pseudonymies d'Allemagne et d'Italie. Ce regard radieux de bonheur, je l'interceptai peut-être, car il n'en fut pas question au parquet. Voilà pourquoi j'ai écrit une nouvelle intitulée *Jean Sbogar.*

La condamnation de Jean Sbogar était un fait légal auquel il ne manquait que la sanction matérielle d'une exécution de sang ; mais le cérémonial coquet de nos codes philanthropiques exigeait un appareil inconnu dans le pays. Il fallut donc que Jean Sbogar se résignât à implorer dans son cachot le jour de délivrance où un charpentier de la ville des Argonautes parviendrait à élever sur des tréteaux deux longs poteaux parallèles, et où le taillandier carniolain consentirait à y ajuster un couteau propre à couper une tête d'homme. Les essais furent si gauches et si malheureux, qu'ils forcèrent probablement les hommes d'État à désespérer de la civilisation de l'Illyrie. Ce qu'il y a de certain, c'est que nous la quittâmes quelques mois après, avec peu de confiance dans la perfectibilité des nations conquises. Nous ne lui avions pas même laissé la guillotine !

Jean Sbogar, affranchi par un jugement en forme de la seule inquiétude qui eût troublé son sommeil, devint plus communicatif, et s'ouvrit sans difficulté aux hommes dans lesquels il croyait pouvoir placer quelque foi, surtout quand ils lui offrirent la garantie jusqu'alors inviolée des serments du carbonarisme. C'est alors que je le vis à deux ou trois reprises, fort supérieur au *Jean Sbogar* que j'ai tenté de peindre, et peut-être à tous les types du même caractère qu'offrent le roman et la poésie, depuis le capitaine Laroque de Cervantès, jusqu'au Charles Moor des *Voleurs.* Il parlait avec élégance, et souvent éloquemment, le français, l'italien, l'allemand, le grec moderne, et la plupart des dialectes slaves. Quelques-unes des phrases fort hétérodoxes en politique, dont j'ai composé ses *Tablettes,* sont tirées de sa conversation avec une scrupuleuse littéralité. J'ajouterai seulement quelques détails à son portrait pour les lecteurs qui veulent tout savoir, et qui ne pardonnent pas au *nouvellier* de s'éloigner de l'historien dans les moindres particularités ; mais on ne saurait contenter tous les goûts. N'ai-je pas eu quelques disputes avec les femmes pour lui avoir laissé des boucles d'oreilles ?

Jean Sbogar n'avait pas les cheveux de ce blond doré qui prête une beauté pittoresque de plus aux têtes gracieuses du Nord et de l'Occident. Ils tiraient à peu près sur le rouge cuivre, couleur fort estimée au nord de l'Italie, mais qui n'est pas de mise à Paris, et dont j'aurais d'autant plus de peine à faire comprendre le charme, que la seule comparaison qui me soit venue est un sacrifice aux conventions du langage. Elle n'exprime pas leur nuance qui variait aux yeux de la lumière de tous les reflets de dix métaux confondus dans la fournaise, depuis le moment où ils en débordent en flamboyant, jusqu'au moment où ils y noircissent refroidis. On pourrait cependant se faire une idée du caprice des couleurs de leurs touffes épaisses et flottantes quand on a vu l'éruption d'un volcan du commencement à la fin. Par une singulière bizarrerie de la nature, sa moustache et sa barbe qu'il portait longue au cachot étaient d'un noir d'acier bruni.

L'habitude du cheval avait arqué remarquablement les jambes de Jean Sbogar, mais son buste était si large, surtout aux épaules, qu'on ne s'étonnait pas que ses supports eussent fléchi sous le poids. Son cou paraissait au contraire extrêmement grêle vers le bas, peut-être à cause de sa longueur. Il plaisantait avec une gaieté horrible sur cet avantage de sa conformation, et cet effrayant badinage était tel que j'aime mieux le laisser deviner que de l'écrire.

Le signalement n'avait pas pu oublier la main blanche, délicate et féminine de Jean Sbogar, qui contrastait, à la vérité, d'une manière extraordinaire avec le reste de ses formes sveltes, mais robustes, et presque athlétiques. Je n'en ai point vu de plus jolie ; on aurait jugé à la regarder qu'elle était tout au plus capable de supporter les quatorze joyaux qui la paraient le jour de son arrestation, qui furent estimés quatre-vingt mille francs, et qui, révérence gardée pour le bijoutier export, en valaient probablement davantage. On ne se serait pas douté, si on l'avait vue sortir de la manche d'un domino de Venise, qu'elle fût capable de soutenir une épée, et bien moins encore de la manier avec dextérité à la tête d'un escadron ; elle aurait cependant émietté, si elle en avait pris la peine, des barreaux, des verrous, des grilles, des portes de fer.

Il manquerait quelque chose au portrait de Jean Sbogar si je n'en esquissais le grand trait moral : c'était une sorte de morgue royale qui se manifestait dans toute sa personne, dans son port, dans ses attitudes, dans son regard souverain, dans son dédaigneux sourire, dans sa parole haute, brusque et impérative, mais surtout dans le pli rude et menaçant qu'il roulait, creusait en sillons, brisait en angles aigus, croisait, pour ainsi dire, en éclairs entre ses sourcils, à la plus légère contradiction. Cette manifestation farouche d'une volonté despotique m'aurait fait horreur du haut d'un trône, mais je ne saurais exprimer combien je la trouvai sublime sur la paille du condamné, entre les guichetiers soumis qui l'entouraient comme des chambellans, et qui recevaient comme des grâces les ordres de l'infortuné que la justice venait de donner au bourreau.

Une nuit, les portes de la prison furent ouvertes par un événement de force majeure, tout-à-fait étranger à Jean Sbogar et à sa troupe, et que je raconterai peut-être ailleurs si l'occasion s'en présente, ou si l'on ne s'ennuie de m'entendre conter. Tous les prisonniers s'enfuirent ; le concierge disparut ; ses employés se dispersèrent. Au lever du soleil toutes les issues étaient libres. Jean Sbogar sortit le dernier, mit en sûreté une vieille femme que l'arrêt avait frappée avec lui, et que le système de l'accusation présentait comme sa mère, alla chercher son cheval à une auberge du faubourg de Cracaw où il l'avait laissé, lui fit donner l'avoine, prit la roule d'Istrie, et coucha le soir à Adelsberg ; deux jours après, il fut enveloppé dans l'antique masure de Duino, et le reste se passa ainsi que je l'ai dit, ou à peu près, car je ne pensais pas que le roman fût tenu à l'exactitude de la gazette, et quiconque s'entend à ce genre de composition ne s'étonnera point que j'aie supprimé l'épisode surabondant de Laybach, malgré sa péripétie, pour arriver plus vite au dénouement de Mantoue. Là mourut Jean Sbogar sur l'échafaud qui avait bu, dit-on, en six mois, le sang d'un millier de ses compagnons, chose difficile à croire et que je ne garantis pas. À Mantoue, jamais charpentiers ni taillandiers n'avaient failli à l'appel de l'autorité, quand il s'agissait des préparatifs d'un supplice. L'instrument officiel de l'assassinat juridique s'y était conservé par tradition, de temps immémorial, comme dans la plus grande partie de la péninsule italique, ce qui est suffisamment prouvé aux amateurs des monuments et des *humanités* du moyen âge, par une des admirables estampes dont le Bonasone enrichit à Bologne en 1555 les fastidieux emblèmes du noble Achille Bocchius, et que les bibliomanes recherchent peu dans les exemplaires retouchés en 1574 par Augustin Carrache. La perfectibilité aura beau dire et beau faire : la guillotine n'est pas de son invention.

Les détails dans lesquels je viens d'entrer ne sont pas entièrement inconnus partout. M. Percival Gordon, qui a pris la peine de traduire *Jean Sbogar* en anglais, sur la première édition, déclare dans sa préface de 1820 que Jean Sbogar est un personnage historique, dont la renommée aventureuse remplit encore les États vénitiens. Ce n'est du moins pas en Angleterre qu'on m'a imputé l'imitation subreptice d'un poème anglais qui n'y manque pas de popularité, et cela me console.

Je n'ai plus qu'à parler de ce qui distinguera cette édition des précédentes, et c'est plutôt l'affaire du libraire que la mienne. Les corrections seront assez nombreuses ; elles seraient innombrables si j'avais le courage difficile de relire attentivement ce que j'ai écrit il y a vingt ans. On concevra sans peine qu'il y a beaucoup de fautes à laisser dans un livre qu'on n'est pas le maître de détruire tout d'une pièce. Le ciel m'est témoin que c'est là le seul avantage que me fassent regretter aujourd'hui les mauvaises chances de ma fortune, emportée dans un naufrage plus grand et plus mémorable que le mien. *Plectuntur Achivi.*

Les *Tablettes* sont augmentées de plusieurs pages que mes amis avaient supprimées sur le premier manuscrit, dans quelque accès de prudence politique dont le motif m'échappe totalement, car je ne les trouve pas plus insensées et pas plus furieuses que les autres. On sait ce que j'en pense, et pourquoi je les donne.

Ce qui résultera de plus essentiel de ces longues et ennuyeuses élucubrations, c'est que *Jean Sbogar* n'est ni de Zchocke, ni de Byron, ni de Benjamin Constant, ni de madame de Krüdener ; c'est qu'il est de moi ; et cela était fort essentiel à dire pour l'honneur de madame de Krüdener, de Benjamin Constant, de Byron et de Zchocke.

I

Hélas ! qu'est-ce que cette vie où ne manquent jamais les afflictions et les misères, où tout est plein de pièges et d'ennemis ! car le calice de la douleur n'est pas plutôt épuisé qu'il se remplit de nouveau ; et un ennemi n'est pas plutôt vaincu qu'il s'en présente d'autres pour combattre à sa place.

Imitation de J.-C.

Un peu plus loin que le port de Trieste, en s'avançant sur les grèves de la mer, du côté de la baie verdoyante de Pirano, on trouve un petit ermitage, depuis longtemps abandonné, qui était autrefois sous l'invocation de saint André, et qui en a conservé le nom. Le rivage, qui va toujours en se rétrécissant vers cet endroit, où il semble se terminer entre le pied de la montagne et les flots de l'Adriatique, semble gagner en beauté à mesure qu'il perd en étendue ; un bosquet presque impénétrable de figuiers et de vignes sauvages, dont les fraîches vapeurs du golfe entretiennent le feuillage dans un état perpétuel de verdure et de jeunesse, entoure de toutes parts cette maison de recueillement et de mystère. Quand le crépuscule vient de s'éteindre, et que la face de la mer, légèrement ridée par le souffle serein de la nuit, commence à balancer l'image tremblante des étoiles, il est impossible d'exprimer tout ce qu'il y a d'enchantement dans le silence et le repos de cette solitude. À peine y distingue-t-on, à cause de sa continuité qui le rend semblable à un soupir éternel, le bruit doux des eaux qui meurent sur le sable : rarement une torche qui parcourt l'horizon avec la nacelle invisible du pêcheur jette sur les flots un sillon de lumière qui s'étend ou diminue selon l'agitation de la mer ; elle disparaît bientôt derrière un banc de sable, et tout rentre dans l'obscurité. En ce beau lieu, les sens, tout-à-fait inoccupés, ne troublent d'aucune distraction les pensées de l'âme, elle y prend librement possession de l'espace et du temps, comme s'ils avaient déjà cessé de se renfermer pour elle dans les limites étroites de la vie ; et l'homme, dont le cœur plein d'orages ne s'ouvrait plus qu'à des sentiments tumultueux et violents, a compris quelquefois le bonheur d'un calme profond, que rien ne menace, que rien n'altère, en s'arrêtant à l'ermitage de Saint-André.

Près de là s'élevait, en 1807, un château d'une architecture simple, mais élégante, qui a disparu dans les dernières guerres. Les habitants l'appelaient *la casa Monteleone,* du nom italianisé d'un émigré français, qui y était mort depuis peu, laissant une fortune immense qu'il avait acquise dans le commerce. Ses deux filles l'habitaient encore. M. Alberti, simple négociant, son gendre et son associé, avait été enlevé par la peste à Salonique. Peu de mois après, M. de Montlyon perdit sa femme, mère de sa seconde fille. Madame Alberti était d'un autre mariage. Naturellement porté à la tristesse, il s'y était abandonné sans réserve depuis ce dernier malheur. Une sombre mélancolie le consumait lentement entre ses deux enfants, dont les caresses même ne pouvaient le distraire. Ce qui lui restait de son bonheur ne faisait que lui rappeler amèrement ce qu'il en avait perdu. Le sourire ne parut renaître sur ses lèvres qu'aux approches de la mort. Quand il sentit que son cœur allait se glacer, son front chargé d'ennuis s'éclaircit un moment ; il saisit les mains de ses filles, les porta sur ses lèvres, prononça le nom de Lucile et d'Antonia, et il expira.

Madame Alberti avait trente-deux ans. C'était une femme sensible, mais d'une sensibilité douce et un peu grave, qui n'était pas susceptible d'éclats et de transports. Elle avait beaucoup souffert, et aucune des impressions pénibles de sa vie n'était entièrement effacée de son âme ; mais elle conservait ses souvenirs, sans les nourrir à dessein. Elle ne se faisait point une occupation de sa douleur, et elle ne repoussait pas les sentiments qui rattachent par quelques liens ceux dont les liens les plus chers ont été brisés. Elle ne se piquait pas du courage de la résignation ; elle en avait l'instinct. Une imagination d'ailleurs très mobile, et facile à s'égarer sur une foule d'objets divers, la rendait plus propre à recevoir des distractions, et même à en chercher. Longtemps fille unique et seul objet des soins de sa famille, elle avait eu une éducation brillante ; mais l'habitude de céder aux événements sans résistance ayant rendu le plus souvent inutile l'usage de son jugement, sa manière d'apprécier les choses tenait moins du raisonnement que de l'imagination. Personne n'était moins exalté, et cependant personne n'était plus romanesque, mais c'était à défaut de connaître le monde. Enfin, le passé avait été si sévère pour elle, qu'elle ne pouvait plus aspirer à un état très heureux ; mais son organisation la défendait également d'un malheur absolu. Quand elle eut perdu son père, elle regarda Antonia comme sa fille. Elle n'avait point d'enfants, et Antonia venait d'atteindre à sa dix-septième année. Madame Alberti se promit de veiller à son bonheur : ce fut sa première pensée, et cette pensée adoucit l'amertume des autres. Madame Alberti n'aurait jamais pu comprendre le dégoût de la vie, tant qu'elle sentait la possibilité d'être utile et de se faire encore aimer.

La mère d'Antonia avait succombé à une maladie de poitrine : Antonia ne paraissait pas atteinte de cette affection, souvent héréditaire ; mais elle semblait n'avoir puisé, dans un sein déjà habité par la mort, qu'une existence fragile et imparfaite. Elle était grande cependant, et aussi développée qu'on l'est ordinairement à son âge : seulement il y avait dans sa taille élancée et svelte un abandon qui annonçait la faiblesse ; sa tête, d'une expression gracieuse et pleine de charmes, un peu penchée sur son épaule ; ses cheveux, d'un blond clair, rattachés avec négligence ; son teint d'une blancheur éclatante, à peine animé d'une légère nuance de l'incarnat le plus doux ; son regard un peu voilé, qu'un défaut naturel de l'organe rendait timide et inquiet, et qui devenait d'un vague triste en cherchant les objets éloignés, tout en elle donnait l'idée d'un état habituel de langueur et de souffrance. Elle ne souffrait point ; elle vivait imparfaitement et comme avec une espèce d'effort. Accoutumée dès l'enfance aux plus vives émotions, cet apprentissage douloureux n'avait point émoussé sa sensibilité, et ne l'avait pas rendue moins accessible aux émotions moins profondes ; elle les subissait toutes, au contraire, avec la même force. Il semblait que son cœur n'avait qu'une manière de sentir, parce qu'il n'avait encore qu'un sentiment, et que tout ce qu'il éprouvait lui rappelait les mêmes douleurs, la perte de sa mère et de son père : aussi la moindre circonstance réveillait en elle cette funeste faculté de s'associer aux peines des autres. Tout ce qui pouvait permettre à son imagination cette liaison d'idées, lui arrachait des larmes, ou la frappait d'un frémissement subit. Ce tremblement était si fréquent, que les médecins l'avaient regardé comme une maladie. Antonia, qui savait qu'il cessait d'être avec sa cause, ne partageait pas leur inquiétude ; mais elle avait conclu, de bonne heure, de cette circonstance et de quelques autres, qu'il y avait quelque chose de particulier dans son organisation. De conséquences en conséquences elle vint à penser qu'elle était, jusqu'à un certain point, disgraciée de la nature. Cette persuasion augmenta sa timidité et surtout son penchant pour la solitude, au point d'alarmer madame Alberti, qui s'alarmait aisément, comme tous ceux qui aiment.

Leur promenade ordinaire était sur les bords du golfe, jusqu'aux premiers palais qui annoncent l'entrée de Trieste. De là les yeux s'étendent sur la mer, et de distance en distance, sur quelques points plus ou moins rapprochés qui échappaient à la vue d'Antonia, mais que madame Alberti lui avait rendus en quelque sorte présents à force de les lui décrire. Il n'y avait pas de jours qu'elle ne l'entretînt des grands souvenirs qui peuplent cette contrée poétique, des Argonautes qui l'avaient visitée, de Japix qui avait donné son nom à ses habitants, de Diomède et d'Anténor qui leur avaient donné des lois.

- En faisant le tour de l'horizon, et après avoir parcouru cette ligne lointaine d'un bleu foncé, qui se détache de l'azur plus clair du ciel, peux-tu distinguer, lui disait-elle, une tour dont le sommet réfléchit les rayons du soleil ? C'est celle de la puissante Aquilée, une des anciennes reines du monde. Il en reste à peine quelques ruines. Non loin de là coule un fleuve que mon père m'a montré dans mon enfance, le Timave, qui a été chanté par Virgile. Cette chaîne de montagnes, qui couronne Trieste, s'élève presque à pic au-dessus de ses murailles, et se développe à notre droite, depuis le hameau d'Opschina, sur une étendue incalculable, sert d'asile à une foule de peuples célèbres dans l'histoire ou intéressants par leurs mœurs. Là, vivent ces braves Tyroliens dont tu aimas toujours le génie agreste, le courage et la loyauté ; ici, ces aimables paysans du Frioul, dont les danses pastorales et les chansons joyeuses sont devenues européennes. En revenant vers nous, tu dois remarquer un peu plus haut que les derniers mâts du port, au-dessus des toits du Lazaret, une partie de la montagne, qui est infiniment plus obscure que les autres, qui les domine de beaucoup, et dont l'aspect gigantesque et ténébreux inspire le respect et la terreur ; c'est le cap de Duino. Le château qui en occupe le faîte, et dont je vois d'ici les créneaux, passe pour avoir été construit du temps d'une ancienne invasion des barbares : le peuple l'appelle encore le palais d'Attila. Pendant les guerres civiles d'Italie, Dante, proscrit de Florence, y chercha un asile. On prétend que ce séjour sinistre lui inspira le plan de son poème, et que c'est là qu'il entreprit de peindre l'enfer. Depuis, il a été habité tour à tour par des chefs de parti et par des voleurs. Dans ce siècle où tout se décolore, je crains qu'il ne soit tombé en partage à quelque châtelain paisible, qui aura dépeuplé de démons ses tours formidables pour y faire nicher des colombes.

Tel était le plus souvent le sujet des entretiens de madame Alberti avec sa sœur, à qui elle cherchait à inspirer peu à peu le désir de voir des objets nouveaux, dans l'espérance de produire sur ses idées habituelles une diversion favorable ; mais le caractère d'Antonia n'avait pas assez de ténacité pour suivre longtemps l'impulsion d'un désir curieux. Elle était trop faible, et se défiait trop d'elle-même pour oser concevoir une volonté hors de son état, et, comme son abattement lui paraissait naturel, elle ne pensait pas à en sortir. Il fallait autre chose qu'un simple motif de curiosité pour l'y déterminer. Le tombeau de ses parents était tout ce qu'elle connaissait du monde, et elle ne supposait pas qu'il y eût quelque chose à chercher au-delà.

- Mais la Bretagne, lui disait madame Alberti, la Bretagne est ta patrie.

- Ce n'est pas là qu'ils sont morts, répondait Antonia en l'embrassant, et leur souvenir n'y habite pas.

II

Ce sont des hommes redoutables que le désir de voir du sang tient éveillés pendant les plus longues nuits d'hiver, et qui égorgeraient une jeune mariée pour avoir son collier de perles.

CONDOLA.

L'Istrie, successivement occupée et abandonnée par des armées de différentes nations, jouissait d'un de ces moments de liberté orageuse qu'un peuple faible goûte entre deux conquêtes. Les lois n'avaient pas encore repris leur force, et la justice suspendue semblait respecter jusqu'à des crimes qu'une révolution pouvait rendre heureux. Dans les grandes anxiétés politiques, il y a une sorte de sécurité attachée à la bannière des scélérats ; elle peut devenir celle de l'État et du monde, et les hommes mêmes qui se croient vertueux la respectent par prudence. La multiplicité des troupes irrégulières, levées au nom de l'indépendance nationale et presque à l'insu des rois, avait familiarisé les citoyens avec ces bandes armées qui descendaient à tout moment des montagnes, et qui se répandaient de là sur tous les bords du golfe. Presque toutes étaient animées des sentiments les plus généreux, conduites par le dévouement le plus pur ; mais par derrière elles se formaient du rebut de ces hommes violents, pour qui les désordres de la politique ne sont qu'un prétexte, une ligue redoutable à tous les gouvernements et désavouée de tous. Ennemie décidée des forces sociales, elle tendait ouvertement à la destruction de toutes les institutions établies. Elle proclamait la liberté et le bonheur, mais elle marchait accompagnée de l'incendie, du pillage et de l'assassinat. Dix villages fumants attestaient déjà les horribles progrès des *Frères du bien commun*. C'est ainsi que s'était nommée d'abord, avant de se mettre au-dessus de toutes les convenances et de violer toutes les lois, la troupe sanguinaire de Jean Sbogar.

Les brigands avaient paru à Santa-Croce, à Opschina, à Materia ; on assurait qu'ils occupaient même le château de Duino, et que c'était du pied de ce promontoire qu'ils se jetaient, à la faveur de la nuit, comme des loups affamés, sur tous les rivages du golfe, où ils portaient la désolation et la terreur. Les peuples épouvantés se précipitèrent bientôt sur Trieste. La *casa Monteleone* surtout était loin d'être un asile sûr. Un bruit s'était répandu qu'on avait vu Jean Sbogar lui-même errer, au milieu des ténèbres, sous les murailles du château. La renommée lui donnait des formes colossales et terribles. On prétendait que des bataillons effrayés avaient reculé à son seul aspect. Aussi n'était-ce point un simple paysan d'Istrie ou de Croatie, comme la plupart des aventuriers qui l'accompagnaient. Le vulgaire le faisait petit-fils du fameux brigard Sociviska, et les gens du monde disaient qu'il descendait de Scanderberg, le Pyrrhus des Illyriens modernes. Les hommes simples, qui sont toujours amoureux de merveilles, ornaient son histoire des épisodes les plus singuliers et les plus divers ; mais on s'accordait à avouer qu'il était intrépide et impitoyable. En peu de temps, son nom avait acquis le crédit d'une tradition des temps reculés, et dans le langage figuré de ce peuple, chez qui toutes les idées de grandeur et de puissance se réunissent dans celles d'un âge avancé, on l'appelait le vieux Sbogar, quoique personne ne sût quel nombre d'années avait passé sur sa tête, et qu'aucun de ses compagnons, tombé entre les mains de la justice, n'eut pu donner sur lui le moindre renseignement.

Madame Alberti, qu'une imagination facile à ébranler disposait à accueillir les idées extraordinaires, et qui s'était occupée de Jean Sbogar depuis le moment où le nom de cet homme avait frappé ses oreilles pour la première fois, ne tarda pas à sentir la nécessité de quitter la *casa Monteleone* pour Trieste ; mais elle cacha ses motifs à Antonia, dont elle redoutait la sensibilité. Celle-ci avait entendu parler aussi des *Frères du bien commun* et de leur capitaine ; elle avait pleuré sur les crimes dont ils se rendaient coupables, quand le récit lui en était parvenu ; mais cette impression laissait peu de traces dans son esprit, parce qu'elle comprenait mal les méchants : il semblait qu'elle évitât de penser à eux pour n'être pas forcée de les haïr. Ce sentiment passait la mesure de ses forces.

La position de Trieste a quelque chose de mélancolique qui serrerait le cœur si l'imagination n'était pas distraite par la magnificence des plus belles constructions, par la richesse des plus riantes cultures. C'était le revers d'un rocher aride, embrassé par la mer ; mais les efforts de l'homme y ont fait naître les dons les plus précieux de la nature. Pressé entre la mer immense et de hauteurs inaccessibles, il offrait l'image d'une prison ; l'art, vainqueur du sol, en a fait un séjour délicieux. Ses bâtiments, qui s'étendent en amphithéâtre depuis le port jusqu'au tiers de l'élévation de la montagne, et au-delà desquels se développent, de degrés en degrés, des vergers d'une grâce inexprimable, de jolis bois de châtaigniers, des buissons de figuiers, de grenadiers, de myrtes, de jasmins, qui embaument l'air, et au-dessus de tout cela la cime austère des Alpes illyriennes, rappellent aux voyageurs qui traversent le golfe l'ingénieuse invention du chapiteau corinthien ; c'est une corbeille de bouquets, frais comme le printemps, qui repose sous un rocher. Dans cette solitude ravissante, mais bornée, on n'a rien négligé pour multiplier les sensations agréables. La nature a donné à Trieste une petite forêt de chênes verts, qui est devenue un lieu de délices : on l'appelle, dans le langage du pays, le *Farnedo,* ou le Bosquet. Jamais ces divinités champêtres, dont les heureux rivages de l'Adriatique sont la terre favorite, n'ont prodigué, dans un espace de peu d'étendue, plus de beautés faites pour séduire. Le Bosquet joint souvent même à tous ces charmes celui de la solitude ; car l'habitant de Trieste, occupé de spéculations lointaines, a besoin d'un point de vue vaste et indéfini comme l'espérance. Debout sur l'extrémité d'un cap, et sa lunette fixée sur l'horizon, son plaisir est de chercher une voile éloignée, et, depuis le *Farnedo,* on n'aperçoit pas la mer. Madame Alberti y conduisait souvent son Antonia, parce que là, seulement, elle trouvait le tableau d'un monde étranger à celui où sa pupille avait vécu jusqu'alors, et capable d'exciter dans sa jeune imagination le désir des sensations nouvelles. Pour une âme vive, le *Farnedo* est à mille lieues des villes ; et madame Alberti cherchait à développer en Antonia cet instinct de l'immensité qui atténue les impressions locales, et qui les rend moins durables et moins dangereuses. Elle avait déjà assez d'expérience de la vie pour savoir qu'être heureux ce n'est que se distraire.

La fête du Bosquet des chênes avait d'ailleurs le charme le plus piquant pour madame Alberti. Élevée comme un homme dont on veut faire un homme instruit, elle connaissait les poètes, et avait rêvé souvent ces danses d'Arcadie et de Sicile qui ont tant d'agréments dans leurs vers. Elle se les rappelait, au costume près, en voyant le berger istrien dans son habit flottant et léger, chargé de nœuds et de rubans, sous son large chapeau couronné de bouquets de fleurs, soulever en passant et remettre sur le gazon la jeune fille qui lui échappe, la tête voilée, sans avoir été reconnue, et qui se perd, dans un autre groupe, au milieu de ses compagnes, semblables entre elles. Souvent une voix s'élève tout-à-coup parmi les danseurs, celle d'un aventurier des Apennins, qui chante quelques strophes de l'Arioste ou du Tasse : c'est la mort d'Isabelle ou celle de Sophronie ; et chez cette nation qui jouit de toutes ses émotions ; et qui est fière de toutes ses erreurs, les illusions d'un poète sont des autorités qui demandent des larmes. Un jour, comme Antonia pénétrait à côté de sa sœur au milieu d'une de ces assemblées, elle fut arrêtée par le son d'un instrument qu'elle ne connaissait point : elle s'approcha et vit un vieillard qui promenait régulièrement sur une espèce de guitare, garnie d'une seule corde de crin, un archet grossier, et qui en tirait un son rauque et monotone, mais très bien assorti à sa voix grave et cadencée. Il chantait, en vers esclavons, l'infortune des pauvres Dalmates, que la misère exilait de leur pays ; il improvisait des plaintes sur l'abandon de la terre natale, sur les beautés des douces campagnes de l'heureuse Macarsca, de l'antique Trao, de Curzole aux noirs ombrages ; de Cherso et d'Ossero, où Médée dispersa les membres déchirés d'Absyrthe ; de la belle Épidaure, toute couverte de lauriers roses ; et de Salone, que Dioclétien préférait à l'empire du monde. À sa voix, les spectateurs, d'abord émus, puis attendris et transportés, se pressaient en sanglotant ; car dans l'organisation tendre et mobile de l'Istrien, toutes les sympathies deviennent des émotions personnelles, et tous les sentiments des passions. Quelques-uns poussaient des cris aigus, d'autres ramenaient contre eux leurs femmes et leurs enfants ; il y en avait qui embrassaient le sable et qui le broyaient entre leurs dents, comme si on avait voulu les arracher aussi à leur patrie. Antonia, surprise, s'avançait lentement vers le vieillard, et, en le regardant de plus près, elle s'aperçut qu'il était aveugle comme Homère. Elle chercha sa main pour y déposer une pièce d'argent percée, parce qu'elle savait que ce don était précieux aux pauvres Morlaques, qui en ornent la chevelure de leurs filles. Le vieux poète la saisit par le bras et sourit, parce qu'il s'aperçut que c'était une jeune femme. Alors, changeant sur-le-champ de mode et de sujet, il se mit à célébrer les douceurs de l'amour et les grâces de la jeunesse. Il ne s'accompagnait plus de la *guzla,* mais il accentuait ses vers avec bien plus de véhémence, et rassemblait tout ce qu'il avait de forces, comme un homme dont la raison est dérangée par l'ivresse ou par une passion violente ; il frappait la terre de ses pieds, en ramenant vivement vers lui Antonia, presque épouvantée :

– Fleuris, fleuris, s'écriait-il, dans les bosquets parfumés de Pirano, et parmi les raisins de Trieste qui sentent la rose ! Le jasmin lui-même, qui est l'ornement de nos buissons, périt et livre sa petite fleur aux airs, avant qu'elle se soit ouverte, quand le vent a jeté sa graine dans les plaines empoisonnées de Narente. C'est ainsi que tu sécherais si tu croissais, jeune plante, dans les forêts qui sont soumises à la domination de Jean Sbogar.

III

Les collines entendent le son de cette voix terrible, leurs noirs rochers et leurs bosquets en frémissent. Avertis par les songes du danger, le peuple court à travers les bruyères, et allume les signaux d'alarme.

Ossian.

Antonia retourna lentement vers la ville, appuyée sur sa sœur, mais silencieuse et pensive. Le nom du brigand faisait naître pour la première fois, dans son cœur, un sentiment de crainte pour elle-même et une vague inquiétude de son avenir. Elle avait pensé au sort des malheureux qui tombaient dans ses mains, sans supposer jamais que cette destinée pût devenir la sienne, et le langage comme inspiré du vieil improvisateur morlaque l'avait frappée de terreur, en lui faisant comprendre la possibilité de cette épouvantable infortune parmi les divers accidents dont la vie est menacée. Cette idée était cependant si dénuée de raison, ce danger si éloigné de toute vraisemblance, qu'Antonia, qui n'avait point de secrets pour madame Alberti, n'osa lui confier le sujet de son trouble. Elle se rapprochait d'elle, se pressait contre elle avec un frisson que le progrès de la nuit, le silence de la solitude, le murmure plus effrayant encore qui sortait de temps en temps du fond des bois, ne faisaient qu'augmenter. Inutilement madame Alberti cherchait à désoccuper sa pensée du sentiment qui paraissait la remplir ; comme elle ignorait ce qui pouvait l'exciter, le hasard lui fit choisir le motif de conversation le plus propre à l'entretenir.

– Quelle funeste renommée que celle de Jean Sbogar ! dit-elle ; combien il est douloureux de fixer l'attention des hommes à ce prix !

– Et qui sait cependant, reprit Antonia, si ce n'est pas le désir insensé de fixer leur attention qui a produit tant d'égarements et tant de crimes ? Au reste, ajouta-t-elle, dans la secrète intention peut-être de se rassurer elle-même, il y a sans doute beaucoup d'exagération dans ce que l'on en raconte. Je suis portée à croire que nous calomnions un peu ces gens qu'on appelle des scélérats, et l'idée que j'ai de la bonté de Dieu ne se concilie pas bien avec la possibilité d'une dépravation si horrible.

– La bienveillance de ton cœur t'abuse, répondit madame Alberti. Il est vrai que le mal absolu répugne à la juste idée que nous nous faisons de l'extrême bonté du Créateur et de la perfection de ses ouvrages ; mais il l'a cru certainement nécessaire à leur harmonie, puisqu'il l'a placé dans tout ce qui est sorti de ses mains à côté du bon et du beau. Pourquoi n'aurait-il pas jeté dans la société des âmes dévorantes et terribles, qui ne conçoivent que des pensées de mort, comme il a déchaîné dans les déserts ces tigres et ces panthères effroyables, qui boivent le sang des animaux sans jamais s'en désaltérer ? Quoiqu'il fût le principe de tout bien, il a voulu permettre le mal dans l'ordre moral ; mais n'a-t-il pas donné des formes hideuses à certaines espèces dans l'ordre physique, quoiqu'il soit le principe de toute beauté, et qu'il ait revêtu ses ouvrages de tant d'attraits quand il l'a voulu ? N'as-tu pas remarqué qu'il se plaisait à attacher le sceau repoussant de la laideur la plus rebutante aux êtres malveillants et dangereux ? Tu te souviens de cette espèce de vautour blanc comme la neige, qu'un des correspondants de mon père avait apporté de Malte ? Sa forme n'a rien de désagréable ; il n'y a rien de plus pur et de plus élégant que son plumage ; quand on le voit par le dos sur une des pierres éparses des cimetières où il fait sa demeure, on désire de s'en approcher et de l'examiner en détail ; s'il se retourne en sautillant sur ses jambes grêles, et qu'il arrête sur vous son œil plein d'un feu sanglant entouré d'une large pellicule cadavéreuse, comme d'un masque de spectre, vous tressaillez d'horreur et de dégoût. Sous les apparences les plus flatteuses, je me persuade qu'il en est de même de tous les méchants, et qu'on trouve en eux, au premier regard, le signe distinct de réprobation que Dieu leur a attaché en les créant pour le crime.

– D'après cela, dit Antonia en affectant de sourire, ton imagination ne prête pas des charmes bien séduisants au chef des *Frères du bien commun ;* tu dois te faire une étrange idée de la beauté de Jean Sbogar.

Madame Alberti, qui se représentait avec une facilité extrême les objets dont sa pensée était frappée, et qui s'était composé sur-le-champ l'idéal du plus féroce des bandits, allait répondre à sa sœur, quand le bruit d'un pas précipité se fit entendre derrière elles, au détour du chemin.

La nuit était tout-à-fait tombée, et tous les promeneurs étaient rentrés dans les bastides, dont l'amphithéâtre est semé d'espace en espace. Les deux sœurs s'arrêtèrent en tremblant, péniblement prévenues par les sombres images qui venaient de passer devant leurs yeux. Elles écoutaient, immobiles et la respiration suspendue. Une voix douce, mélodieuse, une de ces voix qui ont le privilège d'enchanter les soucis, de transporter l'âme dans une région plus calme, dans une vie plus parfaite, fit succéder à leur trouble une agréable émotion.

C'était un jeune homme ; on pouvait en juger à la délicatesse et à la fraîcheur de son organe. Il était enveloppé d'un manteau court à la vénitienne, coiffé d'un chapeau retroussé à panache flottant, et il passait au-dessus du sentier, ou plutôt il volait de rocher en rocher, comme un fantôme de nuit, en répétant le refrain du vieil aveugle :

« Si jamais tu croissais, jeune plante, dans les forêts soumises à la domination de Jean Sbogar, du cruel Jean Sbogar. »

Parvenu à un roc plus élevé, que sa blancheur détachait du contour obscur de la montagne, il resta debout et interrompit brusquement son refrain ; puis, après un moment de silence, il partit de l'endroit où il s'était arrêté un cri si sauvage, si douloureux, si formidable et si plaintif tout à la fois, qu'il ne semblait pas procéder d'une voix humaine ; et au même instant ce gémissement farouche, semblable à celui d'une hyène qui a perdu ses petits, se répéta sur vingt points différents de la forêt ; ensuite l'inconnu disparut en reprenant sa romance.

Antonia ne fut entièrement rassurée qu'à l'entrée de la ville, et elle s'était souvent promis, en revenant, de ne plus quitter si tard le *Farnedo*. Cependant, en y réfléchissant depuis, elle condamnait ses terreurs, et trouvait, à tout ce qui l'avait émue, des explications naturelles ; mais sa faiblesse et sa timidité ne tardaient pas à l'emporter encore sur les efforts de sa raison. Sa sensibilité, à défaut d'exercice extérieur, s'attachait de plus en plus à des chimères effrayantes ; elle se perdait dans un vague sans bornes, et il se composait en elle un sentiment inquiet du monde, que son isolement, sa défiance, son éloignement pour toutes les sociétés nombreuses rendaient de jour en jour plus irritable ; quelquefois ce désordre d'idées, que produit la peur, allait jusqu'à une sorte d'égarement qui lui causait de la honte et de l'effroi. Madame Alberti l'avait remarqué avec une extrême douleur ; mais, fidèle à son système de distraction, elle se promettait toujours de fournir assez de diversion à son esprit, jusqu'à ce qu'une affection heureuse et légitime vint en donner à son cœur. C'était la dernière, c'était aussi la plus agréable et la plus spécieuse de ses espérances. Il ne faut en effet désespérer de rien pour ceux qui n'ont pas aimé : leur existence a un complément à recevoir, et un complément qui fait souvent la destinée de tout le reste de la vie.

IV

Lors apparoissent figures estranges, improuvues et portenteuses ; et ne sçauriez dire que ce fust hommes ou démons, ny que telle phrénésic fust effet de veille dormante ou de sommeil esveillé.

De Lancre.

Les promenades du *Farnedo* n'avaient pas discontinué ; seulement madame Alberti avait soin de les commencer de bonne heure, et de rentrer dans Trieste avant le déclin du jour. La saison était ardente, et l'ombrage des chênes entretenait à peine assez de fraîcheur pour tempérer les ardeurs du soleil, quand le vent d'Afrique soufflait sur le golfe. Des nuages énormes d'un jaune terne, et cependant éblouissant, s'amassent dans une partie du ciel, roulent et tombent de leurs sommets gigantesques, comme des avalanches de feu, s'étendent, s'aplanissent et se fixent. Un bruit sourd les accompagne, et cesse quand ils s'arrêtent : alors la nature entière reste enchaînée de terreur, comme un animal menacé de sa destruction, qui prend l'aspect de la mort pour lui échapper. Il n'y a pas une feuille qui frémisse, pas un insecte qui bruisse sous l'herbe immobile. Si l'on tourne les yeux vers l'endroit où doit être le soleil, on voit flotter dans une colonne oblique d'atomes lumineux la poussière impalpable que le sirocco a enlevée au désert, et dont on reconnaît l'origine à sa nuance d'un rouge de brique. Nul mouvement d'ailleurs qui se fasse apercevoir, si ce n'est celui du milan qui décrit, au haut du firmament, son vol circulaire, en marquant de loin, dans le sable, sa proie accablée sous le poids de cette atmosphère redoutable. Nulle voix qui se fasse entendre, si ce n'est le cri aigu et plaintif des animaux carnassiers, qui, remplis d'un instinct féroce, et se croyant au dernier jour du monde, viennent réclamer les débris des êtres créés qui leur ont été promis. L'homme lui-même, malgré sa puissance morale, cède à cette puissance contre laquelle il n'a jamais essayé ses facultés. Son noble front se penche vers la terre, ses membres faiblissent et se dérobent sous lui ; sans courage et sans ressort, il tombe et attend, dans une langueur invincible, qu'un air plus doux le ranime, rende le mouvement à ses esprits, la chaleur à son sang et la vie à la nature.

Madame Alberti se reposait souvent avec Antonia, sous un groupe d'arbres, dans un joli endroit d'où l'on découvre une partie de Trieste, jusqu'à l'église des Grecs, et où la terre est revêtue d'un gazon court et frais qui invite au sommeil. Antonia, dont les organes délicats ne résistaient pas à l'impression du sirocco, s'était endormie, et sa sœur se promenait à quelques pas, en lui faisant une guirlande de petites véroniques bleues, à la manière des filles d'Istrie, qui les tressent avec beaucoup d'art. Comme il lui en manquait quelques-unes pour la compléter, elle avait marché en divers sens hors de l'enceinte où Antonia reposait, et quand elle s'était aperçue qu'elle en était sortie, les efforts qu'elle avait faits pour la retrouver l'en avaient éloignée davantage. D'abord elle s'était amusée de son erreur, comme d'un accident sans conséquence, puis elle s'était un peu inquiétée ; et son inquiétude, qui rendait sa démarche plus précipitée, la rendait aussi plus incertaine. Enfin, l'inquiétude avait fait place à un sentiment plus pénible, mais qui devait céder à la réflexion. Il y avait un moyen sûr de retrouver Antonia : c'était de l'appeler avec force ; mais un cri aurait troublé son repos, et non pas sans danger pour cette organisation vive et sensible, que la moindre émotion inattendue offensait toujours. Quoi de plus naturel que de penser, au contraire, qu'Antonia, réveillée, appellerait sa sœur, avant de s'être effrayée de son absence ! À cette idée, madame Alberti, rassurée, s'assit et continua sa guirlande.

Pendant ce temps-là, Antonia s'était réveillée en effet. Un bruit léger qui se faisait entendre en face d'elle, dans le feuillage, avait interrompu son sommeil, et sa paupière s'était à demi soulevée sous celui de ses bras qui enveloppait sa tête. À travers les boucles de ses cheveux, qui couvraient une partie de son visage, elle avait aperçu, mais d'une manière que la faiblesse de sa vue rendait plus vague et plus alarmante, deux hommes qui la regardaient attentivement. L'un d'eux, comme voilé d'un large panache qui retombait sur sa figure, s'appuyait sur l'autre, qui était agenouillé à ses pieds, les jambes croisées sous lui, dans l'attitude des Ragusains en repos. Antonia, saisie de crainte, referma les yeux et retint sa respiration, pour ne pas laisser reconnaître l'agitation qu'elle éprouvait, au mouvement de son sein.

- La voilà, dit un ces inconnus, voilà la fille de la *Casa Monteleone*, qui a fixé le sort de ma vie.

- Maître, lui répondit l'autre, vous en disiez autant de la fille du bey des montagnes, à qui nous avons tué tant de monde, et de l'esclave favorite de ce chien de Turc, qui nous a fait payer si cher la forteresse de Czetim. Par saint Nicolas, si nous avions voulu en faire autant pour réduire la Valachie, vous seriez maintenant hospodar, et nous n'aurions pas besoin…

- Tais-toi, Ziska, reprit celui qui avait parlé le premier, tes ridicules exclamations la tireront de son sommeil, et je serai privé du bonheur de la voir, dont je ne jouirai peut-être plus. Prends garde d'agiter l'air qui circule autour d'elle, car je te punirais jusque sur ton vieux père, qui pleure si amèrement de t'avoir enfanté. Tu ris, Ziska… Conviens cependant que mon Antonia est belle…

- Pas mal, dit Ziska, mais pas assez pour efféminer un cœur d'homme, et pour arrêter une troupe de braves dans une forêt de plaisance, où il n'y a pas de l'eau à boire. Maître, continua-t-il en se relevant, où voulez-vous que je porte cet enfant ?

Antonia trembla, et, malgré elle, son bras retomba sur son sein.

- Misérable ! reprit d'une voix sourde le maître de Ziska, qui t'a demandé tes exécrables services ? Sais-tu que cette fille est mon épouse devant Dieu, et que j'ai juré que jamais une main mortelle ne détacherait un seul fleuron de sa couronne de vierge, pas même la mienne, Ziska ? non, je n'aurai jamais un lit commun avec elle sur la terre… Que dis-je ? ah ! si je savais que mes lèvres profanassent un jour ces lèvres innocentes, qui ne se sont entr'ouvertes qu'aux chastes baisers d'un père, je les brûlerais avec un fer ardent. Notre jeunesse a été bercée dans des idées violentes et farouches ; mais cette jeune fille est sacrée pour mon amour, et je veille à la conservation du moindre de ses cheveux… Mon âme s'attache à elle, plane sur elle, vois-tu, et la suit à travers cette courte vie, au milieu de toutes les embûches des hommes et de la destinée, sans qu'elle m'aperçoive un moment. C'est ma conquête de l'éternité ; et puisque j'ai perdu mon existence, puisqu'il m'est défendu de la faire partager à une créature douce et noble comme celle-ci, je m'en empare pour tout l'avenir. Je jure, par le sommeil qu'elle goûte maintenant, que son dernier sommeil nous réunira, et qu'elle dormira près de moi jusqu'à ce que la terre se renouvelle. - Le trouble d'Antonia n'avait cessé de s'augmenter, mais il commençait à se mêler de curiosité et d'intérêt. Elle voulut regarder, sa vue trop faible la servit mal ; elle souleva doucement sa tête, les inconnus s'éloignèrent. Elle se leva tout-à-fiait, et fixa ses yeux sur l'endroit où elle les avait entendus ; il n'en restait qu'un seul qui se glissait courbé sous les buissons : il était hideux.

Les inconnus avaient à peine disparu, que madame Alberti, avertie par quelque bruit, arriva au pied du chêne sous lequel Antonia s'était endormie. Elle écouta son récit sans y croire. Antonia lui avait donné trop de preuves de la faiblesse de sa raison, pour qu'elle soupçonnât autre chose qu'une vision ou l'illusion d'un songe dans ce qu'elle racontait ; mais comme cette idée même lui inspirait un attendrissement remarquable, sa sœur se trompa sur la nature de son émotion ; elle attribua à la compassion qu'excite un grand péril la pitié que fait naître un grand égarement d'esprit. Elle se livra avec abandon aux idées qu'elle avait conçues, et cette préoccupation habituelle prit, autant qu'elle pouvait le prendre, le caractère d'une manie. Eh quoi ! pauvre infortunée, s'écria enfin madame Alberti, de qui te persuades-tu que tu sois aimée ? D'un des lieutenants de Jean Sbogar. Dieu me pardonne !

- De Jean Sbogar, reprit Antonia en reculant, comme si elle avait marché sur une vipère... Cela est probable !

Il était impossible, d'après cela, de retourner au *Farnedo.* Antonia ne sortait presque point de la maison ; seulement quand son esprit plus calme n'avait pas été troublé par quelques-unes de ces terreurs dont l'objet passait pour imaginaire, elle allait, seule, respirer sur le port la brise fraîche du soir. Quelquefois elle s'arrêtait sous les murs du palais Saint-Charles, et elle cherchait à découvrir, de là, ce château de Duino, dont son père et sa sœur lui avaient parlé si souvent. Arrivée au môle qui s'en rapproche, elle s'avançait machinalement le long de la chaussée, jusqu'à l'endroit où elle se termine par un petit ouvrage élevé, revêtu, du côté de la mer, d'un banc étroit, qui ne peut recevoir commodément qu'une seule personne. Cette solitude, placée entre une ville habitée et la mer déserte, plaisait à son imagination et ne l'effrayait pas. Elle aimait à voir, après une journée nébuleuse, le flux sensible du golfe, quand sa face ardoisée se rompt tout-à-coup d'espace en espace, que les bancs écumeux se précipitent l'un sur l'autre vers le rivage, que la vague monte, blanchit et retombe sous la vague qui la suit, qui l'enveloppe et l'entraîne dans une vague plus éloignée ; tandis que les goélands s'élèvent à perte de vue, redescendent en roulant sur eux-mêmes, comme le fuseau d'une bergère échappé à sa main, effleurent l'eau, la soulèvent de l'aile, ou semblent courir à sa surface. Un soir qu'elle y avait demeuré plus longtemps que de coutume, retenue par le charme de la nuit, qui n'avait jamais été d'une sérénité plus pure et qu'éclairait une lune resplendissante, elle prenait plaisir à voir la lumière de cet astre paisible s'étendre du haut des montagnes en nappes argentées, lavées d'une légère teinte bleuâtre, et marier la terre, la mer et le ciel, inondés de sa clarté immobile. Le silence de la côte, interrompu seulement d'heure en heure par les signaux des gardes-marine, laissait entendre le frémissement de l'eau qui venait mourir devant Antonia, et le battement d'une petite barque attachée à l'extrémité du môle, que le flot repoussait à intervalles égaux contre le pied de la chaussée. Sa pensée, plongée dans un vague infini, comme l'élément qui s'offrait à ses yeux, avait perdu de vue le monde, quand une subite impression d'effroi la rendit à toutes ses alarmes. Cette sensation, rapide comme l'éclair, déterminée par une liaison inexplicable d'idées, c'était le souvenir de ce qui lui était arrivé dans sa dernière promenade au *Farnedo,* de l'incompréhensible apparition de cet homme qui s'était arrogé un pouvoir absolu sur sa vie. Tel est l'empire de l'imagination, qu'elle se représenta sur-le-champ cette scène, et qu'au bout d'un moment tous ses sens, également trompés, se livrèrent à l'illusion la plus complète. Elle crut encore voir et entendre. Une vive lumière, partie de Duino, et suivie d'une explosion sourde, détruisit le prestige, mais l'impression subsistait. Le cœur d'Antonia battait avec violence ; une sueur froide coulait sur son front ; son regard inquiet cherchait à droite et à gauche un objet qu'elle craignait de voir ; son oreille écoutait dans le silence, et s'impatientait de sa continuité désolante. Elle aurait voulu être distraite de cette terreur sans objet par une cause raisonnable de crainte. À force d'attention, elle crut remarquer qu'on parlait à demi-voix auprès d'elle : elle se leva et se rassit ; ses jambes tremblaient. Les voix prirent un peu plus de force ; mais elles s'approchaient davantage. Elle crut reconnaître l'accent de ce Ragusain qui avait proposé de l'enlever de la forêt : *Où voulez-vous que je porte cet enfant ?* et au même instant il lui sembla qu'on prononçait à peu près les mêmes paroles. Elle avait peine à se persuader elle-même que ses sens ne fussent pas trompés par un songe : elle se pencha pour entendre mieux ; ces mots n'étaient pas achevés, ou bien on les répétait. Ils frappèrent distinctement son oreille.

- Plutôt mourir ! répondit une voix plus élevée, qui était d'ailleurs plus rapprochée d'elle. Elle jugea qu'elle n'était séparée de l'homme qui parlait que par l'angle étroit que la muraille projetait sur la chaussée : un peu plus, elle aurait senti l'air agité par son souffle. Elle se reporta rapidement à l'autre extrémité du banc ; et, pendant ce mouvement, elle vit deux hommes qui s'élançaient dans la petite barque, et qui s'éloignaient à force de rames. La lune était cachée derrière des nuages d'un gris de perle, qui se déchiraient peu à peu en épais flocons. Un de ses rayons tomba sur la nacelle, et éclaira une plume blanche abandonnée aux vents, qui ombrageait le chapeau d'un des voyageurs. Antonia ne distinguait presque plus rien. Empressée de regagner la ville, elle parcourut en deux ou trois minutes la longueur de la chaussée, et passa comme une ombre à côté du factionnaire qui se reposait sur son escopette.

- Dieu vous garde, signora, lui dit-il. Il se fait tard pour les jeunes filles.

- Je croyais être seule sur le môle, répondit-elle.

- Aussi y étiez-vous seule, reprit le soldat ; et depuis une heure, âme qui vive ne s'en est approchée, à moins que ce ne soit le démon ou Jean Sbogar.

- Le ciel nous préserve de Jean Sbogar ! s'écria Antonia.

- Dieu vous écoute ! dit le soldat en se signant.

Au même instant le canon retentit pour la seconde fois du côté de Duino.

Ce nouveau récit d'Antonia ne fut pas accueilli avec plus de confiance que le premier. Il était trop visible que l'attention compatissante et douloureuse qu'on feignait de lui accorder n'avait rien de commun avec l'intérêt de la conviction. Frappée de cette idée, elle insista avec un calme noble qui étonna madame Alberti, mais qui ne la persuada pas. Antonia, restée seule, couvrit ses yeux de ses mains, et réfléchit sur sa situation avec une profonde amertume. L'opinion qu'elle s'était faite, dès l'enfance, de la singularité de son organisation et de l'état de disgrâce dans lequel la nature l'avait fait naître, confirmée par le sentiment qu'elle excitait autour d'elle, se fixa devant son esprit, et développa au plus haut degré cette disposition extrême à la défiance et à la crainte, qui faisait le fond de son caractère. Sa faiblesse était une espèce de maladie morale, qui n'est pas difficile à guérir avec les soins et les ménagements dont madame Alberti était capable ; mais celle-ci y voyait autre chose, et sa prévention s'était augmentée à cet égard de tous les efforts qu'elle avait faits pour la vaincre. Antonia était son unique pensée, l'espérance, l'amour et le but de sa vie. Perdre cette fille chérie par la mort, ou la voir ravie aux projets qu'elle avait fondés sur elle par un égarement incurable d'esprit, c'était à peu près la même chose ; et quand elle avait eu lieu de redouter ce dernier malheur, elle avait tout fait pour se persuader qu'il était impossible. Dans la funeste erreur de sa tendresse, elle repoussait bien le soupçon qui l'obsédait, parce qu'il l'aurait tuée ; mais il y avait trop de danger à le considérer en face, à le discuter froidement, à s'en rendre compte enfin, pour qu'elle osât l'entreprendre. Elle était parvenue à s'en distraire, et non pas à le chasser. Son imagination vive et absolue d'ailleurs dans toutes les idées qu'elle se faisait des choses, et qui s'attachait, par une préférence involontaire et invincible, à celles qui étaient les plus pénibles à croire, ne modifiait presque jamais l'aspect sous lequel elle les avait vues une fois. Les deux sœurs se regardaient donc avec un attendrissement mutuel, provenant dans l'une d'un excès de timidité, dans l'autre d'un excès de sollicitude qui les rendait également malheureuses.

V

Ô mon Dieu ! vous ne confondrez pas, dans les rigueurs de votre justice, l'innocent avec le coupable ! Frappez, frappez cette tête depuis longtemps condamnée ! elle se dévoue à vos jugements ; mais épargnez cette femme et cet enfant que voilà seuls au milieu des voies difficiles et périlleuses du monde ! N'est-il point parmi ces pures intelligences, premier ouvrage de vos mains, quelque ange bienveillant, favorable à l'innocence et à la faiblesse, qui daigne s'attacher à leurs pas, sous la forme du pèlerin, pour les préserver des tempêtes de la mer, et détourner de leur cœur le fer acéré des brigands ?

Prière du voyageur.

À cette époque, des affaires très importantes, que leur père avait laissées à régler à Venise, y demandèrent la présence de madame Alberti. Elle regarda cette circonstance comme la plus heureuse qui pût arriver dans l'état d'Antonia, et se persuada de nouveau que les impressions fâcheuses qui avaient altéré son jugement, et qui paraissaient dépendre de l'influence des lieux et des souvenirs, céderaient enfin à un changement total d'habitudes et de genre de vie. La grande fortune dont elles jouissaient leur permettait de se procurer, dans cette ville opulente et magnifique, tous les plaisirs que le luxe et les arts y réunissent de tous les points du monde ; et cette nouvelle espèce d'émotion, qui s'adresse plus à l'imagination qu'à la sensibilité, offrait infiniment moins de danger pour une âme irritable que celles qui résultent de la contemplation des beautés naturelles de l'univers, dont la grandeur imposante accable la pensée. Le voyage de Venise fut donc résolu, et jamais Antonia n'avait reçu aucune nouvelle avec plus de joie. Trieste était devenu pour elle un palais magique, où, sans cesse observée par des espions invisibles, elle vivait à la merci d'un tyran inconnu, maître absolu de sa liberté et de sa vie, qui, plusieurs fois, avait balancé à l'enlever du milieu des siens, pour la transporter dans un monde nouveau, dont elle ne se faisait pas d'idée sans frémir, et qui était peut-être à la veille d'accomplir cette funeste résolution, si la Providence ne la dérobait à ses yeux. L'espérance de se voir délivrée de ce sujet de terreur agit promptement sur elle, et lui rendit en peu de jours cette fraîcheur et cette grâce de jeunesse que l'inquiétude avait longtemps flétries. Le sourire reparut sur ses lèvres, la sérénité sur son front ; une confiance plus expansive, un abandon plus doux régna dans ses discours, et madame Alberti, enchantée que la seule approche du départ produisît des effets si propres à justifier ses conjectures, ne négligea rien pour le hâter encore davantage. Le défaut de sûreté des chemins publics exigeait cependant qu'il fût remis à un jour fixe où se réunissaient tous les voyageurs qui se dirigeaient vers un même point, pour se servir réciproquement d'escorte. La voiture de madame Alberti se trouva la neuvième au rendez-vous, sur la plate-forme sablonneuse d'Opschina, d'où l'œil embrasse au loin le golfe et les dunes inégales dont son long circuit est hérissé. Antonia et sa sœur étaient accompagnées d'un aumônier, d'un homme d'affaires, d'un vieux domestique de confiance et de deux femmes. Il restait une place vacante dans l'intérieur. La journée était déjà avancée, parce que la *bora*, qui avait soufflé le matin, avait fait craindre un de ces ouragans qu'on ne brave jamais impunément sur les côtes élevées de l'Istrie, d'où ils enlèvent les charges les plus pesantes, qu'ils roulent jusqu'au fond des abîmes. Cette caravane était d'ailleurs assez nombreuse pour qu'il n'y eût pas de crainte raisonnable à concevoir des brigands, même quand on se trouverait surpris par la nuit la plus obscure ; et on ne devait coucher qu'à Montefalcone, qui est à quelques lieues de là, sur les bords poétiques du Timave. La soirée s'était tout-à-coup embellie, l'air était frais et pur, le ciel sans nuages. Les équipages se suivaient lentement dans les pentes roides et raboteuses du revers des montagnes de Trieste, à travers de vastes halliers semés de rochers qui lèvent çà et là leurs crêtes aiguës et sourcilleuses dans une mousse courte et aride. La seule verdure qu'on y remarque est celle de la feuille lustrée du houx, et de quelques ronces qui traînent leurs bras épineux sur le sable. Au pied de la côte on aperçoit un groupe de maisons de l'aspect le plus triste, dont les toits, chargés de pierres énormes, attestent les ravages de la *bora*, par les obstacles souvent inutiles qu'on multiplie contre elle, dans tous les lieux où elle a coutume de se déchaîner. C'était le hameau de Sestiana, peuplé de mariniers et de pêcheurs.

Pendant que les chevaux se délassaient du long effort qu'ils avaient opposé au poids qui se précipitaient sur eux, dans un chemin glissant et rapide, le vieil hôte de Sestiana s'appuya à la portière de la voiture de madame Alberti, et la pria, au nom de la charité chrétienne, de recevoir jusqu'à Montefalcone un pauvre voyageur accablé de fatigue, qui ne pouvait continuer sa route. C'était un jeune moine du couvent arménien des Lagunes de Venise, qui revenait de la mission, et dont la figure douce et honnête lui avait inspiré le plus vif intérêt. Cette prière était de celles que madame Alberti et sa sœur n'auraient jamais repoussées, quelque raison qu'elles eussent pour le faire. La portière s'ouvrit, et l'Arménien, soutenu par le bon vieillard qui l'avait présenté, mit le pied sur les marches du carrosse, après avoir balbutié quelques mots de remercîment, et se souleva péniblement vers la place qui lui était destinée. Sa main blanche et douce comme celle d'une jeune fille s'appuya par mégarde sur la main de madame Alberti, mais il la retira précipitamment ; et, reconnaissant que la voiture était presque entièrement occupée par des femmes, il rabattit sur son visage les ailes démesurées de son feutre rond, avant d'avoir été aperçu. Bientôt après on se remit en marche. La nuit était alors tout-à-fait tombée.

L'intervalle de Sestiana à Duino est rempli par une grève légère d'un sable fin et mobile, qui fuit de toutes parts sous les roues, et dans lequel la voiture, se relevant et s'enfonçant tour à tour, semble agitée par un mouvement d'ondulation pareil à celui des flots. Une circonstance qui augmente ce prestige dans la lumière fausse et trompeuse des astres du soir, c'est la couleur brillante de l'arène argentée, et l'étendue vague de l'horizon, qui, moins circonscrit que pendant le jour, se prolonge de toute l'incertitude de ses ténèbres, et présente aux yeux quelque image de la vaste mer. Il semble alors que les chevaux sont descendus dans un gué et parcourent un espace inondé par les eaux des montagnes. Antonia, qui occupait un des angles de la voiture, avait levé la glace de son côté, et jouissait, en respirant l'air froid mais énergique de la nuit, de cette espèce d'illusion. La difficulté de la marche des chevaux sur le sol fugitif et profond qui se dérobait à tout moment sous leurs pas les avait extrêmement ralentis, et la moindre agitation extérieure se faisait remarquer. Plusieurs fois Antonia, qui n'était que trop disposée à saisir tous les sujets d'inquiétude, avait cru voir des ombres d'une forme singulière se glisser dans l'espace indécis qui s'étendait devant elle ; et, troublée, elle avait retenu sa respiration, pour savoir si ce mouvement n'était pas accompagné de quelque bruit, ce qui devait être indubitablement s'il résultait d'autre chose que d'une simple erreur de sa vue. Tout-à-coup le postillon, qui éprouvait peut-être quelque chose de semblable, ou qui craignait de céder au sommeil, se mit à entonner un *pismé* dalmate, sorte de romance qui n'est pas sans charme quand l'oreille y est accoutumée, mais qui l'étonne par son caractère extraordinaire et sauvage quand on l'entend pour la première fois, et dont les modulations sont d'un goût si bizarre que les seuls habitants du pays en possèdent le secret. Le chant en est extrêmement simple cependant, car il ne se compose que d'un motif répété à l'infini, selon l'usage des peuples primitifs, et de deux ou trois sons au plus qui reviennent dans le même ordre ; ce qu'il y a d'incompréhensible, c'est l'espèce même de ces sons, qui ne paraissent pas procéder de la voix d'un homme, et dont un artifice analogue à celui de ces jongleurs de France, qu'on appelle *ventriloques*, mais qui est naturel au chanteur illyrien, change à tout moment l'expression, le volume, le lieu d'origine sensible. C'est une imitation successive et rapide des bruits les plus graves, des cris les plus aigus, et surtout de ceux que l'habitant des lieux déserts recueille au milieu des nuits dans la rumeur des vents, dans les sifflements des tempêtes, dans les hurlements des animaux épouvantés, dans ce concert de plaintes qui sort des forêts solitaires au commencement d'un ouragan, lorsque tout prend dans la nature une voix pour gémir, jusqu'à la branche que le vent a rompue, sans la détacher entièrement de l'arbre auquel elle appartient, et qui se balance en criant suspendue à un reste d'écorce. Tantôt la voix pleine et sonore retentit sans obstacle autour des auditeurs ; tantôt on croirait qu'elle résonne sous une voûte, et quelquefois que l'air l'enlève au-delà des nuages et l'égare dans les cieux, où elle l'empreint d'un charme qu'on n'a jamais goûté dans les mélodies humaines. Cependant cette musique aérienne n'a pas la pureté si calme et si propre à reposer l'âme que nous attribuons à celle des anges, même quand elle s'en approche le plus : elle est, au contraire, sévère au cœur de l'homme, parce que la pensée qu'elle éveille est pleine de souvenirs tumultueux, de sentiments passionnés, d'inquiétudes et de regrets ; mais elle attache, elle entraîne, elle subjugue l'attention, qui ne peut se délivrer de son empire. Elle rappelle ces accords redoutables et doux des divinités marines, qui liaient les voyageurs et qui attiraient leur navire dans des écueils inévitables. L'étranger doué d'une imagination vive, qui, assis sur les rivages de Dalmatie, a entendu une seule fois la jeune fille morlaque exhaler son chant du soir, et livrer aux vents ses accents qu'aucun art ne saurait enseigner, qu'aucun instrument n'imitera jamais, qu'aucune parole ne peut décrire, a pu comprendre la merveille des sirènes de l'*Odyssée,* et il a excusé, en souriant, la méprise d'Ulysse.

Antonia, par un penchant commun à toutes les âmes faibles qui s'élancent volontiers hors des bornes de la nature, parce qu'elles ont besoin d'être protégées et surtout d'être aimées (c'est peut-être pour elles la même chose), Antonia jouissait mieux que personne de ces effets mystérieux qui doublent l'aspect de la vie et qui donnent un monde nouveau à l'intelligence. Elle ne croyait pas à l'existence de ces êtres intermédiaires qui jouent un si grand rôle dans les superstitions de son pays natal et de son pays adoptif ; de ces géants ténébreux qui règnent sur les hautes montagnes, où on les voit quelquefois assis dans une nue, les bras armés d'un pin énorme ; de ces sylphes plus légers que l'air, qui ont leur palais dans le calice d'une petite fleur, et que le zéphyr emporte en passant ; de ces esprits nocturnes qui gardent les trésors cachés sous un roc retourné sur sa pointe, ou qui errent à l'entour pour éloigner les voleurs, en laissant sur leur passage une flamme inconstante qui monte, descend, s'éteint pour renaître, disparaît et renaît encore : mais elle aimait ces illusions, et le chant morlaque, qu'elle avait souvent écouté avec plaisir, les renouvelait toutes à la fois. Elle écoutait donc avec un intérêt vif et sans mélange, quand un mouvement singulier de la voiture, qui s'arrêta subitement en se balançant sur elle-même, vint interrompre sa rêverie. Les chevaux avaient reculé d'un pas, et la chanson morlaque expirait dans la bouche du postillon.

– Les voitures qui nous précèdent ont pris l'avance, dit-il, pendant que le moine montait dans celle-ci ; et la route est, si je ne me trompe, coupée par des brigands.

– Que dit-il ? s'écria madame Alberti en s'élançant à la portière.

– Que nous sommes arrêtés, reprit Antonia, qui venait de retomber dans l'angle de la voiture, et qui frissonnait de terreur.

– Arrêtés ! répétèrent madame Alberti et les voyageurs.

– Arrêtés ! assassinés ! perdus ! continua le postillon : ce sont eux, c'est la troupe de Jean Sbogar ; et voilà cet exécrable château de Duino, qui sera notre tombeau à tous.

– Par saint Nicolas de Raguse ! dit le moine arménien, d'un accent profond et terrible, la terre s'écroulerait plutôt sous nos pieds.

Et en finissant ces paroles, il s'était élancé au milieu des brigands. Le cri féroce qui avait effrayé Antonia au *Farnedo* se fit entendre au même moment, et mille voix horribles rugirent en le répétant. La portière était retombée derrière le missionnaire ; les stores étaient baissés, les chevaux restaient immobiles, un silence de mort régnait dans la voiture, il n'arrivait plus du dehors qu'un bruit sourd qui s'éloignait de plus en plus, quand, au sifflement redoublé du fouet, les chevaux repartirent au grand galop, impatients, comme si cet avertissement avait produit sur eux l'action d'un sortilège. Ils ne s'arrêtèrent qu'en rejoignant les autres voyageurs.

– Et l'Arménien, s'écriait depuis longtemps Antonia, demi penchée hors de la portière ; ce généreux, ce brave jeune homme qui s'est dévoué pour nous… Mon Dieu ! mon Dieu ! l'aurions-nous abandonné aux assassins ? ce serait une action horrible !

– Horrible ! répéta vivement madame Alberti.

– Rassurez-vous, mes bonnes dames, répondit le postillon, qui était descendu de son siège, et qui avait repris toute sa sécurité. Ce moine n'a rien à craindre des assassins ; ils ne peuvent rien sur lui ; et, afin que vous le sachiez, c'est lui qui m'a ordonné de chasser mes chevaux quand je l'ai fait, et qui m'a rendu pour cela la force et la voix : aussi avec quelle impétuosité ils se sont élancés ; l'avez-vous remarqué ? Quant à lui, je l'ai vu de près, je vous jure, car les brigands me touchaient ; et il s'est jeté entre eux et moi, si terrible, qu'il y en a qui sont tombés de frayeur, et que tous les autres ont pris la fuite, sans seulement retourner la tête. Une minute après, il était seul, et il était là, debout, la main levée, d'un air de commandement : va-t'en, m'a-t-il crié d'une voix si imposante, que mon sang se serait figé dans mes veines s'il avait annoncé de la colère ; mais c'était une voix protectrice, la voix dont il parle ordinairement aux matelots…

– Aux matelots ? dit madame Alberti… Tu connais donc cet Arménien ?

– Si je le connais ? reprit le postillon ; ne s'est-il pas nommé lui-même, quand il a crié : par saint Nicolas de Raguse ! Quel est le saint qui éprouve les voyageurs et les récompense ? et quel autre qu'un saint disperse d'un mot, d'un geste, d'un regard, une armée de bandits, qui ont le glaive à la main, la rage dans le cœur, et qui cherchent du danger, de l'or et du sang ?… je vous le demande.

Le postillon se tut en regardant le ciel, qui parut traversé d'une lueur subite. Le canon grondait à Duino.

VI

Les uns l'appellent le Grand-Mogol, les autres le Prophète Elie. C'est un homme extraordinaire qui se trouve partout, qui n'est connu de personne, et à qui l'on ne peut point de mal.

Lewis.

Cette explication ne suffisait pas à tout le monde. Madame Alberti en concevait plusieurs autres, et les accueillait tour-à-tour. Antonia ne voyait rien de distinct dans cet événement, mais elle y trouvait tout ce qu'il fallait pour entretenir des idées sombres et rêveuses. Ce fut dans cette disposition d'esprit qu'elle poursuivit son voyage au milieu des campagnes enchantées qui lui restaient à parcourir. Elle vit le lendemain la riante Gorizia, riche de fleurs et de fruits, et dont l'aspect charme de loin les yeux du voyageur nouvellement sorti des sables inféconds de la côte d'Istrie. Les souvenirs antiques se réveillent si naturellement sur ce coteau chéri de la nature, ou s'y conservent avec tant de facilité qu'on croit y vivre encore sous l'empire poétique de la mythologie. Les belles s'y promènent sous des berceaux dédiés aux Grâces, les chasseurs s'y rassemblent dans le bosquet de Diane : c'est de là qu'ils descendent pour aller surprendre leur proie dans les champs qui bordent l'Isonzo, l'Isonzo, la plus élégante des rivières de l'Italie et de la Grèce, qui roule, profondément encaissée entre deux montagnes d'un sable d'argent, ses flots bleu de ciel, aussi purs que le firmament qu'ils réfléchissent, et dont ils n'ont pas besoin d'emprunter l'éclat ; lorsqu'il est voilé par des nuages, l'habitant de Gorizia retrouve son azur à la surface limpide de l'Isonzo. Un jour plus tard, elle aperçut les délicieux canaux de la Brenta, bordés de riches palais, et le modeste village de Mestre, qui sert de point de communication entre une partie de l'Europe et une cité à laquelle l'Europe ne peut rien montrer d'égal, cette superbe Venise dont l'existence même est un phénomène. Le jour naissait à peine, quand la barque qui devait y conduire madame Alberti, Antonia et les personnes qui les accompagnaient, entra de la Brenta dans l'eau marine. Le petit bâtiment glissait doucement sur l'onde immobile, le long des poteaux qui dirigent le nautonier. Madame Alberti aperçut à sa droite une maison blanche, d'une construction très simple, au milieu des flots dont cette partie des Lagunes est semée. On lui apprit que c'était le couvent des catholiques arméniens, et Antonia frissonna, sans pouvoir s'expliquer son émotion. Enfin Venise commença à se dessiner sur l'horizon, comme une découpure d'une couleur sombre, avec ses dômes, ses édifices, et une forêt de mâts de vaisseaux ; puis elle s'éclaircit, se développa, et s'ouvrit devant le bateau, qui circula longtemps à travers des bâtiments de toute grandeur, avant d'entrer dans le canal particulier sur lequel était situé le palais Monteleone, dont madame Alberti avait fait l'acquisition depuis peu. Une circonstance pénible différa leur arrivée. Ce canal était chargé de gondoles qui suivaient un convoi funèbre : c'était celui d'une jeune fille, car la gondole qui portait le cercueil était drapée en blanc, et parsemée de bouquets de roses de la même couleur. Deux flambeaux brûlaient à chacune de ses extrémités, et leur lumière, éclipsée par celle du soleil levant, ne semblait qu'une fumée bleuâtre. Il n'y avait qu'un rameur. Un prêtre, debout sur le devant de la gondole, mais tourné du côté de la bière, et une croix d'argent dans les mains, murmurait à basse voix les prières des morts. En face de lui, un jeune homme vêtu de noir, agenouillé à la tête du cercueil, pleurait amèrement ; le bruit de ses sanglots étouffés avait quelque chose de déchirant : c'était probablement le frère de la trépassée. Sa douleur était si vive et si profondément sentie que, si elle avait été exaltée par un autre sentiment, elle aurait été mortelle. Un amant n'aurait pas pleuré.

Cette rencontre de mauvais augure émut aisément la sensibilité d'Antonia ; mais le premier objet remarquable lui fit oublier la pensée superstitieuse qu'il lui avait suggérée. Elle était près de sa sœur, sans motifs raisonnables de crainte pour l'avenir, entourée, au contraire, de toutes les probabilités d'une vie douce, d'une tranquillité inaltérable, d'un bonheur tel, enfin, s'il en est pour les âmes tendres qui compatissent à toutes les souffrances de la société, que peu d'entre elles sont appelées à en goûter un pareil. Elle s'arrêta à cette perspective ; elle jouit pour la première fois du sentiment d'une sécurité pure ; elle jugea qu'elle était heureuse ; elle conçut la possibilité de l'être toujours, et, à la vérité, jamais elle ne l'avait été davantage.

Le peuple est, dans tous les pays, amoureux de l'extraordinaire, et sujet à se passionner pour les personnes et pour les choses ; mais nulle part il ne porte aussi loin qu'à Venise la faculté de se créer des dieux, objets passagers d'un enthousiasme dont les retours sont souvent funestes pour ceux qui l'ont excité. Il n'était question, dans ce temps-là, que d'un jeune étranger qui s'était concilié sans qu'on sût de quelle manière, car il n'en avait pas même laissé deviner la prétention, cette faveur si brillante et si fugitive. Le génie, le courage et la bonté de Lothario étaient le sujet de tous les entretiens ; son nom était dans toutes les bouches. Pendant le court trajet de Mestre à Venise, il avait été ramené vingt fois dans la conversation des mariniers. Après avoir parcouru sa nouvelle demeure en soutenant Antonia, à qui l'habitude d'une santé délicate rendait le secours de son bras nécessaire, même quand elle ne souffrait pas, madame Alberti venait de la conduire dans une des principales pièces de l'appartement, et elles s'y étaient assises l'une à côté de l'autre. Le vieil intendant se présenta pour les saluer, et resta debout en attendant leurs ordres.

- Nous sommes contentes, lui dit madame Alberti ; tout répond à ce que j'attendais de vos soins, honnête Matteo, et je puis juger à ces commencements que personne ne sera mieux servi à Venise.

- Non pas même le seigneur Lothario, répondit le vieillard en humiliant son front chauve et en tournant dans ses mains son *goura* de soie noire.

Pour cette fois, Antonia, éclatant de rire :

- Et quel est donc, grand Dieu ! le seigneur Lothario ? Depuis que nous sommes arrivées, je n'ai entendu nommer que lui.

- Il est vrai, dit madame Alberti en récapitulant ses idées avec sa précipitation ordinaire. Quel est donc le seigneur Lothario ? Apprenez-nous, mon cher Matteo, ce qu'il faut penser de cet homme, dont la réputation est devenue proverbiale à Venise avant d'avoir passé le golfe ?

- Mesdames, répondit Matteo, je ne suis pas moi-même beaucoup plus instruit, quoique j'aie cédé à l'usage en me servant de ce nom qui a un tel crédit dans ce pays que les brigands mêmes le respectent. Cela peut paraître exagéré, mais il n'y a rien de plus vrai ; et, le seigneur Lothario inspire un respect si universel qu'il est arrivé quelquefois qu'on a fait tomber, en le nommant, le stylet des mains d'un assassin ; que le bruit, le seul bruit de son approche a calmé une révolte, dissipé un attroupement de furieux, rendu la tranquillité à Venise. Cependant c'est un jeune homme bien peu redoutable, je vous assure, car on s'accorde à dire qu'il a dans le monde la douceur et la timidité d'un enfant. Je ne l'ai vu qu'une fois et d'assez loin, mais j'éprouvai à contempler sa physionomie un saisissement qui me fit croire tout ce qu'on pense de lui. Depuis ce temps, j'ai inutilement cherché à le revoir. Il avait quitté la ville.

– Il n'est plus à Venise ! s'écria Antonia.

– Il en est absent depuis près d'un an contre son usage, reprit Matteo, car il passe très rarement plus de deux ou trois mois sans y revenir.

– Il n'y fait donc pas son habitation ordinaire ? dit madame Alberti.

– Non certainement, continua Matteo ; mais il y a longtemps, très longtemps qu'il y vient de mois en mois passer quelques jours, tantôt plus, tantôt moins, presque jamais au-delà d'une semaine ou deux. Cette fois-ci, son long éloignement aurait fait craindre qu'il eût tout-à-fait abandonné Venise, s'il n'y en avait pas d'autres exemples ; mais on se rappelle qu'il en a disparu déjà pendant plusieurs années.

– Plusieurs années ? dit Antonia ; vous n'y pensez pas, Matteo ; vous nous disiez tout-à-l'heure, si je vous ai bien entendu, que c'était un très jeune homme.

– Très jeune, en vérité, répondit Matteo… Au moins à ce qu'il paraît : je n'ai pas dit le contraire, mais je parle d'après les idées singulières du peuple, qui ne méritent pas votre attention, mes illustres dames, et que je rougirais moi-même…

– Continuez, continuez, Matteo, dit madame Alberti avec véhémence ; ceci nous intéresse beaucoup, n'est-il pas vrai, Antonia ? Asseyez-vous, Matteo, et n'oubliez rien, absolument rien de ce qui concerne Lothario.

Madame Alberti était en effet vivement intéressée, et son esprit, rapide à saisir tous les aspects des choses, avait devancé de beaucoup la narration de Matteo en conjectures romanesques et merveilleuses qu'elle brulait de voir vérifiées. Antonia n'avait pas une sensibilité moins vive ; elle était, au contraire, plus irritable et plus avide d'émotions, mais elle les redoutait, parce que sa faiblesse l'exposait toujours à y céder. Quand Matteo eut commencé à exciter la curiosité de madame Alberti par les circonstances vagues et bizarres de son récit, elle s'était pressée contre sa sœur avec un frisson d'inquiétude et d'effroi dont elle cherchait à couvrir l'impression par un sourire.

- Ce que je sais du seigneur Lothario, reprit gravement Matteo, qui s'était assis pour obéir à madame Alberti, ne m'est connu, comme je vous l'ai dit, mes illustres dames, que par le bruit public. C'est un jeune homme de la plus belle figure, qui paraît de temps en temps à Venise avec le train d'un prince, et qui semble pourtant n'avoir cherché l'habitation d'une grande ville que pour trouver l'occasion de répandre des libéralités plus abondantes parmi les pauvres, car il fréquente peu la société, et on ne lui a presque point connu d'habitudes et d'amitiés familières ni en hommes ni en femmes. Il visite quelquefois une famille malheureuse pour lui porter un secours ; passionné pour les arts, qu'il cultive avec succès, il recherche quelquefois la conversation et les conseils de ceux qui les exercent. Hors de ces rapports-là, qu'il borne avec un soin extraordinaire, il vit presque solitaire dans Venise. Il n'est pas entré dix fois dans une maison particulière, il ne correspond avec personne ; cela est au point que jamais homme n'a été assez avant dans son intimité pour savoir le nom de sa famille, ou pour connaître le lieu de sa naissance, ou pour former une conjecture fondée sur le mystère de sa vie. Il est vrai qu'il a beaucoup de domestiques, mais tous lui sont étrangers, parce qu'il en change chaque fois qu'il voyage, et qu'il se procure à Venise même ceux qui doivent le servir pendant qu'il y réside. Ses relations hors de sa maison ne donnent pas plus de lumières. Depuis qu'on le connaît, jamais la poste ne lui a apporté une lettre, les banquiers ne lui ont pas fourni un sequin. Les révolutions des États ne changent pas la moindre chose à sa position ; dans les temps orageux, il ne s'éloigne pas plus que d'ordinaire ; et quand les voyageurs sont soumis à des formalités de précaution, ses papiers se trouvent toujours signés de l'autorité qui gouverne, sous ce simple nom de Lothario, qu'une pareille circonstance rendrait suspect, si l'on ne savait que cette foule de bonnes actions qui s'y rattachent l'ont recommandé aux hommes puissants de toutes les époques et de tous les partis.

Il serait d'ailleurs difficile de l'inquiéter à Venise, où il est, pour une classe immense, un objet de reconnaissance, d'affection, et, pour ainsi dire, de culte. La proscription de Lothario, si jamais il avait donné lieu d'y penser, serait peut-être le signal d'une révolution ; mais il n'a pas l'air de le croire, car il oblige la classe malheureuse sans la caresser. Son esprit sévère et un peu hautain, à ce qu'on assure, le sépare d'elle par un obstacle qu'il est seul maître de lever, et qu'il ne lèverait point sans bouleverser les États vénitiens, s'il l'avait résolu. Cette forte distance qu'il a laissée entre lui et le peuple ne révolte personne, parce qu'on sent que la nature même en a marqué les limites, et qu'elle le sépare d'ailleurs bien plus sensiblement des hommes qui paraissent se rapprocher de sa condition. En effet, ce sont ceux-là pour lesquels il montre le plus d'éloignement ; et si l'on voit le seigneur Lothario descendre en faveur de quelqu'un des hauteurs de son caractère, ce n'est jamais pour un seigneur ; c'est pour un infirme qui a besoin de son appui, pour un enfant égaré, pour un épileptique dont la vue repousse les passants. Cela ne l'empêche pas de fréquenter les réunions publiques et les grandes sociétés où les hommes peuvent paraître et même briller sans communiquer immédiatement avec personne. Il s'y est fait aisément remarquer, puisque Venise n'a point d'artiste et de *virtuose* qui lui soit, dit-on, comparable ; mais loin d'user de ces avantages, on prétend qu'il redoute de les faire valoir, qu'il ne les laisse apercevoir qu'à regret, et que c'est au moment où ils pourraient lui procurer des connaissances agréables, ou de grands établissements, qu'il s'enfuit de Venise, comme pour éviter l'éclat d'une vie publique et répandue, qui le déroberait à lui-même et au secret dont il veut s'envelopper. L'ambition ne peut rien sur lui ; l'amour même ne l'a jamais arrêté… quoiqu'il n'y ait pas sur la terre de femmes plus séduisantes qu'à Venise. Une seule fois, il parut s'occuper beaucoup d'une jeune fille noble, qui, de son côté, avait témoigné une vive passion pour lui ; mais un malheur bien extraordinaire mit fin aux rapports que le public supposait entre eux. C'était au moment du départ de Lothario, qui, cette fois, avait résidé à Venise un peu plus que de coutume, et que ce sentiment, s'il a existé, ne put cependant y retenir. Deux ou trois jours après son départ, elle disparut, et on ne retrouva son corps que longtemps après, contre ce banc de sable où s'est établi depuis le couvent des Arméniens.

- Voilà qui est incompréhensible, dit Antonia d'un accent profondément concentré.

- Non, mademoiselle, répondit Matteo, en suivant sa pensée, qui n'était peut-être pas la même que celle d'Antonia. Le mouvement des eaux refoulées par la mer porte de ce côté la plupart des débris qui flottent sur nos canaux. Comme cette dame avait la tête vive, et que des particularités que j'ai oubliées annonçaient que sa mort avait été violente, on l'attribua au désespoir plutôt qu'à un accident : je crois même qu'une lettre de sa main, qui fut trouvée ensuite, et dans laquelle elle expliquait son dessein, justifia cette supposition.

- Prenez garde, Matteo, dit madame Alberti. Vous avez commencé par nous dire que Lothario était jeune.

- Vingt-cinq ou vingt-six ans tout au plus, répondit Matteo ; mais il est très blond et délicat à le voir, quoique plus adroit et plus robuste que les hommes les plus fortement constitués, et il serait possible...

- Il ne serait pas possible, continua-t-elle avec force, qu'il eût été absent pendant plusieurs années depuis qu'il s'est fait connaître à Venise : c'est ce que vous ne nous avez pas éclairci. Pensez d'ailleurs que l'histoire de la jeune fille trouvée morte à l'île des Arméniens doit être antérieure, suivant vos termes, à l'époque où les Arméniens sont venus s'y établir, et qu'alors...

- Je n'en sais pas davantage, reprit Matteo avec une sorte de confusion ; et je n'ai dit à ces dames que ce que j'ai entendu dire aux Vénitiens d'un âge avancé, qui soutiennent qu'ils ont vu autrefois le seigneur Lothario tel qu'il est aujourd'hui, mais qui supposent qu'il n'a pas été absent moins de cinquante ans ; et vous sentez l'extravagance de cette idée. Au reste, il est trop naturel de croire, d'après le genre de vie du seigneur Lothario, qu'il a un grand intérêt à cacher ce qu'il est réellement, pour ne pas comprendre les soins qu'il a mis sans doute à favoriser et même à faire naître les bruits qui devaient redoubler sur son compte l'incertitude de l'opinion. Aussi faut-il avouer qu'il n'y en a point de si étranges et de si ridicules qui n'aient eu au moins le crédit de se faire répéter, pendant quelque temps, par des personnes qui ont la réputation d'être sensées. Vous en jugerez par le plus vraisemblable de tous : c'est que ce mystérieux étranger a le secret de la pierre philosophale ; et, à la vérité, on ne voit pas comment expliquer autrement l'existence magnifique et les dépenses de roi d'un inconnu auquel on ne sait pas le moindre genre de commerce ou d'industrie, la plus petite propriété, la plus légère relation d'affaires de quelque espèce que ce soit. Il y a près de trois ans, c'est l'époque de son premier voyage, depuis la longue absence dont parlent ces gens-ci, que des jaloux, irrités de ses prodigieux succès, et d'autant plus peut-être qu'il y attachait lui-même moins d'importance, et que la marque d'attention la plus ordinaire qu'on puisse obtenir de lui ressemble singulièrement au dédain, s'avisèrent de faire courir sur lui la fable la plus outrageante ; j'ose à peine la répéter, et je ne le ferais pas sans danger ailleurs qu'ici. On alla jusqu'à dire qu'il était l'agent d'une troupe de faux monnayeurs cachés dans les grottes du Tyrol, ou dans quelque forêt de la Croatie. Cette erreur ne dura pas longtemps, car le seigneur Lothario répand l'or avec tant de profusion, qu'il est aisé d'en vérifier le titre et la fabrique. On se convainquit bien qu'il n'y en avait point de meilleur dans tous les États de Venise ; et, depuis ce moment, si on inventa des fables sur son compte, elles cessèrent du moins d'être injurieuses et atroces. Ce qu'il est réellement, c'est ce que je ne sais point, dit Matteo en se levant de son siège ; mais je puis répéter qu'il dépend à peu près de lui d'être tout ce qu'il voudra être à Venise, s'il y revient.

– Il y reviendra, dit madame Alberti en embrassant cette idée avec cette susceptibilité romanesque qu'elle prenait trop souvent pour de la pénétration : c'était son seul défaut.

VII

Tu me reverras encore une fois sous cette forme, et ce jour sera le dernier.

Shakespeare.

Cette conversation n'avait pas laissé de traces bien profondes dans l'esprit d'Antonia. Comme le nom de Lothario revenait souvent dans les cercles où sa sœur l'avait introduite, il ne frappait guère ses oreilles sans lui rappeler vaguement les idées bizarres et singulières dont Matteo les avait entretenues ; mais ce n'était qu'une sensation passagère, à laquelle elle aurait rougi de se livrer. En cherchant à se rendre compte au premier moment de l'impression que ce récit lui avait faite, elle s'affligea de ne pouvoir fixer sur Lothario un jugement assuré ; mais il n'était pas dans son caractère de s'égarer longtemps dans des conjectures inutiles sur des choses qui la touchaient si légèrement. La faiblesse de sa constitution, l'abattement habituel de ses organes, la forçaient à circonscrire beaucoup ses sentiments ; et plus ils étaient puissants autour d'elle, moins elle était capable de les étendre aux objets inconnus. Un jour cependant, le bruit courut dans Venise que Lothario était arrivé, et ce bruit, bientôt confirmé par la folle joie d'une populace enthousiaste, parvint rapidement à Antonia. Ce jour-là même elle devait se trouver, avec madame Alberti, dans une société composée en grande partie de seigneurs étrangers, attirés à Venise par les plaisirs du carnaval, et qui se réunissaient de temps en temps pour faire de la musique. À peine étaient-elles entrées qu'un laquais annonça le seigneur Lothario. Un frémissement subit d'étonnement et de plaisir parcourut l'assemblée, et saisit surtout madame Alberti, que toutes les idées extraordinaires préoccupaient facilement. Elle prit ce mouvement pour un pressentiment heureux, et comme toutes ses pensées se rapportaient à Antonia, elle lui serra brusquement la main, sans savoir bien au juste ce que cette démonstration pouvait signifier. Antonia fut autrement affectée ; son cœur se serra d'une sorte d'effroi, parce qu'elle rassembla autour du nom de Lothario quelques-unes de ces circonstances inquiétantes et terribles qui l'avaient frappée dans le discours du vieil intendant. Elle tarda même quelque temps à lever les yeux sur lui ; mais elle le vit alors distinctement, parce qu'il n'était pas loin d'elle, et qu'il paraissait la regarder quand elle l'aperçut. Au même instant il avait détourné sa vue, sans la fixer toutefois sur aucun autre objet. Appuyé sur le rebord d'un vase de marbre antique chargé de fleurs, il avait l'air de prendre part à un entretien de peu d'importance, pour se dispenser de porter ailleurs son attention. Antonia fût saisie à son aspect d'une émotion qu'elle n'avait jamais éprouvée, et qui ne ressemblait point à un sentiment connu. Ce n'était plus de l'effroi ; ce n'était pas davantage l'idée qu'elle se faisait des premiers troubles de l'amour ; c'était quelque chose de vague, d'indécis, d'obscur, qui tenait d'une réminiscence, d'un rêve ou d'un accès de fièvre. Son sein palpitait violemment, ses membres perdaient leur souplesse, ses yeux se troublaient, une langueur indéfinissable enchaînait ses organes fascinés. Elle essayait inutilement de rompre ce prestige ; il s'augmentait de ses efforts. Elle avait entendu parler de l'engourdissement invincible du voyageur égaré que le boa glace d'un regard dans les forêts de l'Amérique ; du vertige qui surprend un berger parvenu à la poursuite de ses chèvres à l'extrémité d'une des crêtes gigantesques des Alpes, et qui, ébloui tout-à-coup par le mouvement circulaire que son imagination prête, comme un miroir magique, aux abîmes dont il est entouré, se précipite de lui-même dans leurs profondeurs horribles, incapable de résister à cette puissance qui le révolte et qui l'entraîne. Elle sentait quelque chose de semblable et d'aussi difficile à expliquer, je ne sais quoi de tendre et d'odieux, qui étonnait, qui repoussait, qui appelait, qui accablait son cœur ; elle trembla. Ce tremblement qui lui était assez ordinaire n'effraya pas madame Alberti ; elle pressa cependant Antonia de sortir, et Antonia le désirait. Elle fit un effort pour se lever, défaillit, se rassit et sourit à madame Alberti, qui regarda ce sourire comme un consentement à rester. Lothario n'avait pas changé de place.

Il était babillé à la française avec une simplicité élégante. Rien n'annonçait la moindre recherche dans son costume et dans sa parure, si ce n'est deux petites émeraudes qui pendaient à ses oreilles, et qui, sous les épaisses boucles de cheveux blonds dont son visage était ombragé, lui donnaient un aspect singulier et sauvage. Cet ornement avait cessé depuis longtemps d'être à la mode dans les États vénitiens, comme dans presque toute l'Europe civilisée. Lothario n'était pas régulièrement beau, mais sa figure avait un charme extraordinaire. Sa bouche grande, ses lèvres étroites et pâles, qui laissaient voir des dents d'une blancheur éblouissante, l'habitude dédaigneuse et quelquefois farouche de sa physionomie, repoussaient au premier regard ; mais son œil plein de tendresse et de puissance, de force et de bonté, imposait le respect et l'amour, surtout quand on voyait s'en échapper une certaine lumière douce, qui embellissait tous ses traits. Son front très élevé et très pur avait quelque chose d'étrange, un pli fortement ondé, que l'âge n'avait pas produit, et qui marquait la trace d'une pensée soucieuse et fréquente. Sa physionomie était en général sérieuse et sombre ; mais personne n'avait plus de facilité à effacer une prévention désagréable. Il lui suffisait pour cela de soulever sa paupière, et d'en laisser descendre ce feu céleste dont ses yeux étaient animés. Pour les observateurs, ce regard avait quelque chose d'indicible, qui tenait d'une organisation supérieure à celle de l'homme. Pour le vulgaire, il était, selon l'occasion, ou caressant ou impérieux : on sentait qu'il pouvait être terrible.

Antonia était d'une certaine force sur le piano ; mais sa timidité l'empêchait presque toujours de développer son savoir devant une société nombreuse. Il y a un genre de modestie, et c'était le sien, qui consiste à dissimuler continuellement ses facultés pour ne pas blesser les personnes médiocres, qu'on trouve en majorité partout, et peut-être aussi pour ne pas déplaire à la minorité qui juge, par une apparence de prétention. Elle n'avait jamais consenti à exécuter un morceau de musique en public que par condescendance pour des invitations qu'elle attribuait à une simple politesse, et auxquelles elle était bien sûre de satisfaire, sans intéresser à ce faible effort de bienséance réciproque toutes les ressources de son talent ; elle avait même remarqué que les témoignages de satisfaction obligée que recueillait sa complaisance n'étaient pas moindres quand elle avait rendu un passage simplement et suivant les seules règles de l'exécution mécanique, que lorsqu'elle s'était trouvée dirigée par une inspiration subite et heureuse, qui la satisfaisait intérieurement. Elle s'assit donc au piano avec assez de calme, lorsqu'elle y fut appelée, et elle laissait courir ses doigts sur le clavier avec son indifférence ordinaire, quand ses yeux, distraits par le reflet d'une glace en face de laquelle elle était placée, furent frappés d'une illusion étrange et terrible. Lothario s'était approché de son siège, et comme ce siège était monté sur l'estrade où était placé l'instrument, sa tête pâle et immobile s'élevait seule au-dessus du cachemire rouge d'Antonia. Les cheveux en désordre de ce jeune homme mystérieux, la fixité morne de son œil triste et sévère, la contemplation pénible dans laquelle il paraissait plongé, le mouvement convulsif de ce pli bizarre et tortueux que le malheur sans doute avait gravé sur son front, tout concourait à donner à cet aspect quelque chose d'effrayant. Antonia, surprise, interdite, épouvantée, reportant successivement ses regards du pupitre à la glace et de la glace au pupitre, perdit bientôt de vue les notes confuses et jusqu'à l'auditoire qui l'entourait. Substituant involontairement le sentiment dont elle était saisie à celui qu'elle avait à peindre, elle improvisa par une transition extraordinaire, mais qui devait passer pour un jeu singulier de son imagination plutôt que pour ce qu'elle était réellement, une expression de terreur si vraie que tout le monde frémit : et elle se jeta dans les bras de madame Alberti qui la reconduisit à sa place au milieu d'une rumeur d'applaudissements, mêlée de surprise et d'inquiétude. Après l'avoir suivie de l'œil jusqu'à l'endroit où elle s'arrêtait, Lothario s'approcha d'une harpe, et un mouvement universel de curiosité et de plaisir succéda à celui qui venait de troubler l'assemblée. Antonia elle-même, rassurée et distraite par une impression nouvelle, exprima la plus vive impatience d'entendre Lothario, et comme il paraissait craindre que son état ne fût pas devenu assez tranquille pour qu'elle pût prendre part au reste des plaisirs de la soirée, elle se crut obligée de lui témoigner par un regard que son indisposition avait cessé. Cette marque d'intérêt de Lothario l'avait vivement touchée ; mais on aurait dit que Lothario, plus sensible encore à la légère démonstration qu'il venait d'en recevoir, avait changé d'existence pendant qu'Antonia le regardait. Son front s'était éclairci, ses yeux brillaient d'une lumière bizarre ; un sourire où se faisait remarquer un reste d'attendrissement et un commencement de joie embellissait sa bouche sévère. Passant sa main gauche à travers les larges ondes de ses cheveux pour chercher un motif ou un souvenir, et saisissant de l'autre avec légèreté les cordes de la harpe, de manière à leur imprimer seulement une vibration vague, il entrainait en préludant ces sons fugitifs, mais enchantés, qui tiennent des concerts des esprits, et il semblait les jeter sans effort et les abandonner aux airs.

« Malheur à toi, murmura-t-il, malheur à toi, si jamais tu croissais dans les forêts qui sont soumises à la domination de Jean Sbogar ! »

- C'est, continua-t-il, la fameuse romance de l'anémone, si connue à Zara, et la production la plus nouvelle de la poésie morlaque. Antonia, vivement émue par le choix de cet air et par le son de la voix de Lothario, se rapprocha de madame Alberti, qui était très préoccupée de son côté. Elle se rappelait aussi cette voix harmonieuse et le lieu où elle l'avait entendue ; mais ce pouvait être l'effet d'une ressemblance fortuite. Le chant dalmate est trop simple, trop uniforme, trop dépouillé d'ornements, pour qu'il ne soit pas aisé de se méprendre entre deux voix analogues. Enfin, après un moment de réflexion, Lothario reprit sa romance tout entière, en continuant à s'accompagner de ces accords aériens que la harpe rendait sous ses doigts, et dont la mélodie religieuse se mariait avec son chant de la manière la plus imposante. Parvenu au refrain du vieux Morlaque, il y mit l'accent d'une pitié si douloureuse que tous les cœurs en furent attendris, mais surtout celui d'Antonia, qui attachait à cette idée un souvenir d'inquiétude et d'effroi. La romance de Lothario était achevée depuis longtemps, que ses dernières paroles et le redoutable nom de Jean Sbogar retentissaient encore dans sa pensée.

VIII

Rêvez, innocentes créatures, et reposez dans le doux sommeil qui tient vos sens assoupis ; vous aurez bientôt, hélas ! de tristes veilles et de cruelles insomnies.

Milton.

Au nombre des suppositions qui se succédèrent dans l'esprit de madame Alberti à la suite de cette soirée, il y en avait une qui offrait assez de vraisemblance pour frapper les imaginations vulgaires, et qui ne manquait pas cependant de cet aspect romanesque qu'elle cherchait ordinairement dans ses combinaisons. Le reste de ses conjectures était si mal fondé qu'elle ne tarda pas à s'en tenir à celle-ci, qui lui convenait d'autant mieux qu'elle flattait le plus agréable et le plus dominant de ses sentiments, son amour pour Antonia. L'établissement de cette sœur chérie l'occupait sans cesse ; elle était décidée à ne rien négliger pour qu'il assurât son bonheur, et à subordonner à ce seul intérêt toutes les autres convenances. L'immense héritage d'Antonia, celui que madame Alberti devait lui laisser un jour, étaient faits pour exciter la cupidité d'une foule de prétendants, et madame Alberti ne voulait pas que la vie de sa sœur dépendît de l'homme vil dont l'amour serait une spéculation et l'alliance un marché. C'était d'après les sentiments qu'elle se promettait de voir éclore en elle qu'elle avait résolu de disposer de sa main, presque sûre que le cœur d'Antonia, dirigé par le jugement et l'expérience d'une seconde mère, ne pouvait pas se tromper. Déjà plusieurs jeunes gens d'une grande fortune ou d'une naissance distinguée s'étaient mis inutilement sur les rangs. Aucun d'eux n'était parvenu à fixer l'attention de sa sœur, et madame Alberti, attentive à épier les moindres sensations de cette âme ingénue et sans détours, ne lui avait jamais surpris un secret ; le premier aspect de Lothario semblait, au contraire, avoir produit sur elle une impression profonde, qui pouvait seule expliquer la scène singulière du piano. Lothario lui-même n'avait pas paru moins ému, moins troublé, moins pénétré d'une affection puissante, et l'idée qu'un tel homme, si renommé par l'éclat de son esprit, par la variété de ses talents, par la tendresse et la générosité de son caractère, par la grandeur de ses manières et la pureté de ses mœurs, pourrait devenir l'époux d'Antonia, était pour madame Alberti la plus douce des illusions. Qu'était cependant ce Lothario, et comment lier des relations aussi sérieuses avec un inconnu qui s'obstinait, de l'aveu de tout le monde, à s'entourer du mystère le plus suspect ? Ce problème n'inquiéta qu'un moment madame Alberti. En peu de temps elle eut trouvé des explications à tout, et elle eut l'art ou le bonheur de les rattacher toutes à sa première pensée, avec assez d'apparence de vérité pour qu'Antonia même, qui ne voyait pas toujours les choses des mêmes yeux, demeurât sans objection et sans réponse. Il est vrai que son cœur commençait à s'intéresser à cette hypothèse, et à souhaiter qu'elle fût la réalité, non qu'elle ressentît pour Lothario ce mouvement de sympathie douce qui indique le besoin d'aimer, cet attrait indéfinissable qui fait qu'on cesse d'être soi pour vivre de l'existence d'un autre : ce qu'elle éprouvait n'avait pas encore ce caractère ; c'était plutôt l'entraînement d'une âme soumise, la résignation de la faiblesse qui ne demande qu'à être protégée, la dépendance volontaire d'une créature timide et sensible envers celle qui lui impose de la confiance et du respect. Tel lui avait paru Lothario, et le premier regard de ce jeune homme s'était arrêté sur elle avec tant d'empire, qu'il lui semblait qu'à compter de cet instant il eût pris des droits sur sa destinée.

Je n'ai pas dit jusqu'ici quelle était la supposition de madame Alberti. Elle pensait, avec assez de raison, qu'en retranchant de l'histoire de Lothario ce que les bruits populaires y avaient ajouté de ridicule et d'absurde, il restait probable que sa condition et sa fortune étaient tout ce qu'annonçaient son éducation et sa magnificence ; que s'il avait des raisons pour cacher son nom et son rang, elles ne pouvaient être que momentanées ; que ce déguisement n'avait rien d'alarmant pour l'amour d'Antonia qui n'était au-dessous d'aucune alliance ; que le désir de frapper son attention, de se rapprocher d'elle et d'intéresser son cœur par des considérations indépendantes de celles qui déterminent la plupart des mariages, était probablement au contraire le principal objet de ces apparences mystérieuses dont Lothario avait voulu s'envelopper ; que les plus extraordinaires, les plus inexplicables des faits qui se rapportaient à lui, n'étaient sans doute que des mensonges habilement insinués aux gens d'Antonia par des personnes apostées, dans l'intention d'augmenter l'incertitude où l'on voulait la retenir ; et cette dernière conjecture n'était pas elle-même dénuée de preuves, car il était impossible de se dissimuler que Lothario eût pris une grande part aux derniers événements de la vie d'Antonia. C'était, tout bien considéré, le jeune homme qui avait passé près d'elle au retour du *Farnedo*, en chantant le refrain du Morlaque, et ce jeune homme n'était pas sans dessein à Trieste. Les apparitions qui alarmaient si souvent Antonia, et qui avaient inspiré tant d'inquiétude à madame Alberti, lorsqu'elle les regardait comme les illusions d'un esprit malade, pouvaient aussi procéder de la même cause. Si elle en avait exagéré ou changé quelques circonstances, c'est le propre des âmes faibles qui ont tout à redouter, et des âmes tendres qui croient n'intéresser jamais assez. Enfin l'événement du Duino n'était pas expliqué. Comment des brigands, animés au pillage et à l'assassinat, auraient-ils cédé au seul aspect d'un jeune moine arménien, si cet homme redoutable par sa valeur et peut-être par sa renommée ne leur avait pas imposé une terreur invincible, en s'élançant de la voiture où madame Alberti lui avait accordé une place ? Nul doute qu'il n'en ait renversé plusieurs autour de lui avant de les disperser, et qu'ensuite indécis au milieu de la nuit, sur une route qu'il n'avait jamais parcourue, il ne se soit trouvé dans l'impossibilité de rejoindre ses compagnons de voyage. Quel serait ce moine armé contre les statuts de son ordre, et qui se dévoue avec tant de courage et d'oubli de lui-même pour quelques étrangers, sinon un amant déguisé qui veut sauver Antonia ou qui veut mourir pour elle ? Si la vision pieuse du postillon était, comme il n'y avait pas à en douter, l'erreur d'un homme du peuple tout-à-fait privé de lumières, quelle explication pouvait-on substituer à celle de madame Alberti ? Il restait des choses douteuses et incompréhensibles ; mais il serait étonnant qu'il n'y en eût point dans la vie d'un homme qui cherche à multiplier autour de lui les incertitudes et les mystères, et qui a toute l'habileté nécessaire pour préparer, combiner, faire valoir les moyens qu'il emploie dans ce dessein. Lothario aimait, il adorait Antonia, et toutes ses actions annonçaient d'ailleurs un homme si judicieux et si éclairé, qu'il était impossible d'attribuer la bizarrerie apparente de quelques-unes de ses démarches à un travers de l'esprit. Il avait ses raisons ; et pourquoi les chercher avant le temps ? Ce qu'il y avait d'important pour madame Alberti, c'était de connaître mieux Lothario, de s'assurer par une fréquentation plus habituelle de cette perfection de caractère que l'opinion générale lui attribuait, et de voir se déclarer sous ses yeux les sentiments qu'elle n'avait fait que soupçonner jusqu'alors. Lothario ne fuyait pas ces réunions générales où chacun est tributaire de son talent. Il évitait les sociétés particulières, où il faut porter de la confiance ou des affections, et il était bien rare, comme l'avait observé Matteo, qu'il consentît à y paraître plus d'une fois. Cependant il saisit avec empressement, quand elle lui fut présentée, l'occasion de voir chez elles madame Alberti et sa sœur ; et cette singularité, promptement remarquée de tout le monde, débarrassa Antonia de beaucoup de prétentions ennuyeuses. Une visite de Lothario avait l'air d'une démarche, et une démarche de Lothario excluait jusqu'aux hommes qui pouvaient rivaliser avec lui, quant à de certains avantages, parce qu'il conservait sur eux des avantages qui ne sont jamais méconnus par le vulgaire et par l'imagination même des femmes les plus éprises de l'éclat et du bruit, une âme sérieuse, un caractère imposant et une vie cachée.

On a vu que l'impression qu'avait ressentie Antonia à la vue de Lothario ne ressemblait point à celles qui annoncent la naissance du premier amour dans les cœurs ordinaires. Une circonstance bien indifférente en elle-même, et dont l'effet n'était cependant pas entièrement détruit, cette singulière illusion de la glace où Lothario lui apparut, y avait mêlé une sorte de trouble et de terreur indéfinissable. L'intérêt qu'elle prenait à Lothario, le penchant qui l'entraînait vers lui, n'avaient toutefois pas moins de puissance pour avoir moins de douceur. Il portait une empreinte de fatalité qui surprenait, qui épouvantait quelquefois Antonia, mais dont elle n'essayait pas de se défendre, puisque madame Alberti approuvait ce sentiment, et trouvait même un certain plaisir à le nourrir. Elle s'étonnait pourtant que l'amour fût si différent de l'idée qu'elle s'en était faite, sur les peintures tendres et passionnées des romanciers et des poètes. Elle n'y voyait encore qu'une chaîne austère et menaçante qui l'enveloppait de liens inflexibles, et dont elle se serait inutilement efforcée de secouer le poids. Seulement, quand Lothario, distrait pour elle de ses sombres rêveries, daignait se livrer un moment avec un naturel plein de grâce aux simples entretiens de l'amitié familière ; quand cette fierté sourcilleuse, quand cette tension douloureuse de l'esprit, qui donnait à sa physionomie une dignité si majestueuse et si triste à la fois, faisait place à un doux abandon ; quand un sourire venait à éclore sur cette bouche qui en avait depuis si longtemps perdu l'habitude, et rendait à ses traits sévères une sérénité franche et pure, Antonia, transportée d'une joie qu'elle n'avait jamais connue, comprenait quelque chose du bonheur d'aimer un être semblable à soi, et d'en être aimée sans partage : c'était encore Lothario qui la faisait naître, mais c'était Lothario dépouillé de ce je ne sais quoi d'étrange et de redoutable qui alarmait sa tendresse. Il est vrai que ces instants étaient rares, et qu'ils passaient rapidement ; mais Antonia en jouissait avec tant d'ivresse qu'elle était parvenue à ne plus désirer d'autre félicité ; et elle était si peu maîtresse alors de dissimuler ce qu'elle éprouvait que Lothario ne put longtemps s'y méprendre. Dès la première fois qu'il en fit l'observation, on s'aperçut qu'elle n'était pas pour lui sans amertume ; son front se rembrunit, son sein se gonfla, il appuya fortement sa main sur ses yeux et il sortit. Dès lors, il sourit plus rarement encore ; et, quand cela lui arrivait, il se hâtait de tourner sur Antonia un œil soucieux et chagrin.

Son amour pour elle n'était plus un secret. On sentait que toutes ses pensées, toutes ses paroles, toutes ses actions se rapportaient à elle, qu'elle était l'idée unique et le seul but de sa vie. Madame Alberti n'en doutait point, et Antonia se le disait quelquefois à elle-même dans un mouvement d'orgueil qu'elle avait peine à réprimer ; mais l'amour de Lothario, marqué d'un sceau particulier, comme l'existence entière de cet homme inconcevable, n'avait rien de commun avec le sentiment qui porte le même nom dans la société : c'était une affection grave et réfléchie, avare de démonstrations et de transports, qui se satisfaisait de peu, et qui se recueillait en elle-même avec une réserve expressive aussitôt qu'elle pouvait craindre d'être trop bien entendue. Le feu de ses regards le trahissait souvent : mais, à l'expression ineffable du sentiment chaste et doux qui remplaçait bientôt l'accès de cette fièvre passagère, Lothario ne paraissait plus un amant. On aurait dit un père à qui il ne reste plus qu'une fille, qu'une seule fille, et qui a concentré en elle toutes les affections qu'il lui avait été permis un jour de partager entre d'autres enfants. Il se révélait alors dans sa passion pour Antonia quelque chose de plus puissant, de plus grand que l'amour, une volonté dominante de protection si bienveillante et si tutélaire qu'on ne peindrait pas autrement celle de l'ange de lumière qui veille à la garde de la vertu, et qui l'escorte depuis le berceau jusqu'à la tombe. C'était aussi l'espèce d'ascendant qu'il exerçait sur cette jeune fille, et qu'on ne pouvait comparer à rien dans l'ordre des relations purement humaines. L'imagination tendre et un peu superstitieuse d'Antonia n'avait pas oublié cette idée dans la foule des hypothèses que l'existence incompréhensible de Lothario lui faisait concevoir et rejeter tour-à-tour ; mais elle s'en jouait avec elle-même et avec madame Alberti, comme d'une illusion sans conséquence. Lothario s'appelait, dans leur intimité, l'ANGE D'ANTONIA.

IX

Hélas ! la plus douce perspective qui puisse flatter mon cœur, c'est l'anéantissement. Oh ! ne va pas me tromper, unique espoir qui me reste ! Il me semble que j'oserais maintenant supplier mon juge de m'anéantir. Il me semble que je le trouverais maintenant disposé à m'exaucer. Alors, ô ravissante pensée, alors je ne serais plus ! Je retomberais dans le calme inviolable du néant, effacé, retranché du nombre des êtres, oublié de toutes les créatures, des anges et de Dieu même ! Dieu tout puissant ! me voici : daigne me rendre au chaos d'où tu m'as tiré !

Klopstock.

Un jour, au déclin du soleil, Antonia était entrée dans l'église de Saint-Marc pour prier. Les derniers rayons du crépuscule expiraient à travers les vitraux sous les grands cintres du dôme, et s'éteignaient tout-à-fait dans les recoins des chapelles éloignées. On voyait à peine briller de quelques reflets mourants les parties les plus apparentes des mosaïques de la voûte et des murailles. De là les ombres croissantes descendaient toujours plus épaisses le long des fortes colonnes de la nef, et finissaient par inonder d'une obscurité profonde et immobile la surface inégale de ses pavés, sillonnés comme la mer qui les entoure, et qui vient souvent jusque dans le lieu saint reconquérir son empire sur les usurpations de l'homme. Elle aperçut, à quelques pas d'elle, un homme à genoux, dont l'attitude annonçait une âme fortement préoccupée. Au même instant un des clercs de l'église vint déposer une lampe devant une image miraculeuse, suspendue en cet endroit, et la flamme agitée par le mouvement de sa marche répandit autour de lui une clarté faible et passagère, mais qui suffit à Antonia pour reconnaître Lothario. Il se levait avec précipitation et il allait disparaître, lorsqu'Antonia se trouva au-devant de ses pas sur le parvis. Elle saisit son bras, et marcha quelque temps sans lui parler ; puis, avec une effusion pleine de tendresse :

- Eh quoi ! Lothario, lui dit-elle, quelle inquiétude vous tourmente ? Rougiriez-vous d'être chrétien, et cette croyance est-elle si indigne d'une âme forte qu'on n'ose l'avouer devant ses amis ?

Quant à moi, le plus grand de mes chagrins, je puis vous l'assurer, était de douter de votre foi, et je me sens soulagée d'une peine mortelle depuis que je suis sûre que nous reconnaissons le même Dieu, et que nous attendons le même avenir.

– Hélas ! que dites-vous, chère Antonia ? répondit Lothario. Pourquoi faut-il que ma mauvaise destinée ait amené cette explication ! Cependant je ne l'éviterai pas : il est trop affreux d'abuser une âme comme la vôtre. L'homme, mal organisé peut-être, qui ne croit pas à la religion dans laquelle il est né ; qui, plus malheureux encore, ne comprend ni la grande intelligence qui gouverne le monde, ni la vie immortelle de l'âme, est plus digne de pitié que d'horreur ; mais s'il cachait son incrédulité sous des pratiques pieuses, s'il n'adorait que pour tromper le monde tout ce que le monde adore, si sa raison superbe désavouait l'hommage qu'il rend au culte public à l'instant même où il se prosterne avec les fidèles, cet homme serait un monstre d'hypocrisie, la plus perfide et la plus odieuse des créatures. Voyez plutôt mon cœur dans toute son infirmité et dans toute sa misère. Balancé depuis l'enfance entre le besoin et l'impossibilité de croire ; dévoré de la soif d'une autre vie et de l'impatience de m'y élever, mais poursuivi de la conviction du néant comme d'une furie attachée à mon existence, j'ai longtemps, souvent, partout cherché ce Dieu que mon désespoir implore, dans les églises, dans les temples, dans les mosquées, dans les écoles des philosophes et des prêtres, dans la nature entière, qui me le montre et qui me le refuse ! Quand la nuit déjà avancée me permet de pénétrer sous ces voûtes, et de m'humilier sans être vu sur les degrés de ce sanctuaire, j'y viens supplier Dieu de se communiquer à moi. Ma voix le prie, mon cœur l'appelle, et rien ne me répond. Plus fréquemment, parce qu'alors je suis plus sûr de ne pas tromper un témoin par des démonstrations mal interprétées, c'est au milieu des bois, c'est sur le sable des rivages, c'est couché sur une barque abandonnée à la mer, que j'invoque cette lumière du ciel, dont la douce influence me guérirait de tous mes maux ! Combien de fois et avec quelle ferveur, ô ciel, je me suis prosterné devant cette création immense en lui demandant son auteur ! Combien j'ai versé de larmes de rage, lorsqu'on redescendant dans mon cœur je n'y ai trouvé que le doute, l'ignorance et la mort ! Antonia, vous tremblez de m'entendre ! Pardonnez-moi, plaignez-moi, et rassurez-vous ! L'aveuglement d'un malheureux, désavoué du ciel, ne prouve rien contre la foi d'une âme simple. Croyez, Antonia ! votre Dieu existe, votre âme est immortelle, votre religion est vraie. Mais ce Dieu a réparti ses grâces et ses châtiments avec l'ordre merveilleux, avec l'intelligence prévoyante qui règnent dans tous ses ouvrages, il a donné la prescience de l'immortalité aux âmes pures pour qui l'immortalité est faite. Aux âmes qu'il a dévouées d'avance au néant, il n'a montré que le néant.

- Le néant ! s'écria Antonia : Lothario, y pensez-vous ? Ah ! mon ami, votre âme n'est pas dévouée au néant ! Vous croirez, ne fût-ce qu'un moment, un seul moment ; mais il arrivera l'instant où l'immortalité se fera sentir à la raison de Lothario, comme à son cœur ! L'âme de Lothario serait mortelle, Dieu tout-puissant ! et à quoi servirait la création tout entière, si l'âme de Lothario devait finir ? Oh ! pour moi, continua-t-elle avec plus de calme, je sens bien que je vivrai, que je ne finirai plus, que je posséderai tout ce qui m'a été si cher, dans un avenir sans vicissitude, mon père, ma mère, ma bonne sœur… et je sais que toutes les douleurs de la vie la plus pénible, toutes les épreuves auxquelles la Providence peut soumettre une faible créature dans ce court passage de la naissance à la mort, ne me réduiront jamais à un désespoir absolu, parce que l'éternité me reste pour aimer et pour être aimée !

- Pour aimer ! Antonia, dit Lothario. Quel homme est digne d'être aimé de vous ?

Il achevait ces paroles en entrant dans le salon de madame Alberti, qui lui sourit d'un air significatif. Lothario sourit aussi, mais ce n'était pas de ce sourire enchanteur qu'une distraction heureuse lui enlevait quelquefois ; c'était d'un sourire amer et douloureux qui paraissait étranger à son visage.

Antonia commençait à trouver une explication à la profonde tristesse de Lothario. Elle concevait comment cet infortuné, déshérité de la plus douce faveur de la Providence, du bonheur de connaître Dieu et de l'aimer, et jeté sur la terre comme un voyageur sans but, devait fournir avec impatience cette carrière inutile et aspirer au moment d'en sortir pour jamais. Il paraissait d'ailleurs qu'il était seul au monde, car il ne parlait jamais de ses parents. S'il s'était connu autrefois une mère, il l'aurait nommée sans doute. Pour un homme qui n'était lié par aucun sentiment, ce vide immense où son âme était plongée ne pouvait manquer d'être effrayant et terrible, et Antonia, qui n'avait jamais supposé qu'une créature pût tomber dans cet excès de misère et de solitude, ne le contemplait pas sans épouvante. Elle réfléchissait surtout avec un serrement de cœur extrême à cette idée de Lothario, qu'il y avait pour certains êtres réprouvés de Dieu une prédestination du néant qui faisait leur malheur en ce monde de la conviction de ne point revivre dans un autre. Elle pensait pour la première fois à ce néant effroyable, à la profonde, à l'incommensurable horreur de cette séparation éternelle ; elle se mettait à la place du malheureux qui ne voyait dans la vie qu'une succession de morts partielles qui aboutissent à une mort complète, et dans les affections les plus délicieuses que l'illusion fugitive de deux cœurs de cendre ; elle imaginait la terreur de l'époux qui presse dans ses bras son épouse bien-aimée, quand il vient à songer qu'au bout de quelques années, de quelques jours peut-être, tous les siècles seront entre eux, et que chaque moment de ce présent qui s'écoule est un à-compte donné à l'avenir sans fin ; et dans cette méditation douloureuse, elle éprouvait le même sentiment qu'un pauvre et faible enfant, égaré dans les bois, qui, d'erreurs en erreurs et de détours en détours, serait arrivé, sans moyen de reconnaître sa trace et de retourner sur ses pas, au penchant rapide d'un précipice. Absorbée dans ces réflexions, comme par un rêve pénible, elle s'était levée de son siège, pendant que madame Alberti et Lothario la regardaient en silence, et elle avait gagné sa chambre. À peine y fut-elle arrivée que son cœur, affranchi de toute contrainte extérieure, se soumit sans résistance à l'oppression qui l'accablait, et goûta la liberté de souffrir avec une sorte de volupté. Jusque-là les passions avaient exercé peu d'empire sur elle, et l'amour même que madame Alberti aimait à voir développer en elle pour Lothario, ne s'y était pas manifesté par ces orages qui accompagnent les sentiments exaltés, qui augmentent l'action de la vie, et qui font parvenir toutes les facultés à leur plus haut degré de puissance. Elle avait conçu qu'elle aimait Lothario, et cette persuasion pleine de douceur et d'abandon n'avait rien coûté à son bonheur. Mais cette pensée d'anéantissement ou de damnation, la damnation, l'anéantissement de Lothario, soulevait dans son cœur les idées les plus tumultueuses et le remplissait de confusion et de terreur.

– Quoi ! disait-elle, au-delà de cette vie si rapidement écoulée… rien ! plus rien pour lui ! et c'est lui qui le pense ! et c'est lui qui le dit ! et c'est lui qui nous menace de ne le revoir jamais dans l'endroit où l'on se reverra pour ne plus se quitter !

Le néant ! Qu'est-ce donc que le néant ? et qu'est-ce que l'éternité si Lothario n'y est point ?

Pendant qu'elle cherchait à se rendre compte de cette pensée, elle s'était, sans le savoir, rapprochée de son Christ, et sa main s'appuyait sur un des bois de la croix. Elle releva les yeux, et tomba à genoux :

– Mon Dieu ! mon Dieu ! s'écria-t-elle, vous à qui l'espace et l'éternité appartiennent, vous qui pouvez tout et qui aimez tant, n'avez-vous rien fait pour Lothario ?

En prononçant ces mots, Antonia se sentit défaillir ; mais elle fut rappelée à elle par l'impression d'une main qui la soutenait, celle de madame Alberti, qui avait quitté Lothario pour la suivre, dans la crainte qu'elle ne fût malade…

– Tranquillise-toi, pauvre Antonia, lui dit madame Alberti ; tes aïeux ont donné des princes à l'Orient, et ta fortune se compte par millions. Tu seras l'épouse de Lothario, quand il serait fils de roi.

– Qu'importe, répondit Antonia d'un air égaré, qu'importe s'il ne ressuscite point ?

Madame Alberti, qui ne pouvait pas saisir le sens de ces paroles, secoua la tête avec douleur, comme une personne qui se confirme malgré elle dans une conviction désolante qu'elle a longtemps et inutilement repoussée…

– Malheureuse enfant ! dit-elle en la pressant dans ses bras et en l'arrosant de ses larmes, que tu fais de mal à ta sœur ! Ah ! si le ciel te réserve à cette infortune, puissé-je du moins mourir avant d'en être témoin !

X

On est détrompé sans avoir joui ; il reste encore des désirs, et l'on n'a plus d'illusions. L'imagination est riche, abondante et merveilleuse ; l'existence pauvre, sèche et désenchantée. On habite avec un cœur plein un monde vide, et sans avoir usé de rien on est désabusé de tout.

Chateaubriand.

L'intimité de Lothario était devenue un besoin pour Antonia, que l'espérance de ramener son cœur à la foi enflammait d'un zèle plein de tendresse, et qui l'aimait déjà vivement avant de s'être avoué qu'elle l'aimait. Elle n'était pas moins précieuse à madame Alberti, qui, de plus en plus inquiète sur le sort d'une jeune fille sans appui, qui entrait dans le monde avec une organisation débile, une santé chancelante, et une disposition extrême à subir douloureusement toutes les impressions fortes, ne concevait la possibilité de lui assurer quelque bonheur qu'en lui faisant trouver, dans une affection puissamment sentie, une protection de plus contre les froissements de la vie. Elle voyait un grand avantage à aider de bonne heure l'attachement presque maternel qu'elle avait pour sa sœur, du secours d'un sentiment plus tendre encore et plus prévoyant, tel qu'Antonia l'avait sans doute inspiré à Lothario, quoique, par une singularité difficile à définir, il évitât de rapporter ce qu'il éprouvait si évidemment à aucun être particulier. On aurait cru qu'il s'était formé dans un monde plus élevé quelque type admirable de perfection dont la figure et le caractère d'Antonia ne faisaient que lui retracer le souvenir, et que s'il arrêtait sur elle ses regards avec une attention si vive et si tendre, c'est que ses traits réveillaient une réminiscence dont l'objet n'était pas sur la terre. Cette circonstance avait entretenu dans leurs rapports une sorte de mystère pénible, qui était à charge à tous, mais que le temps seul pouvait éclaircir. Antonia se trouvait assez heureuse d'ailleurs de l'amitié d'un homme tel que Lothario ; et son âme, timide et défiante, qui comprenait bien un autre bonheur, n'eût pas osé le désirer. Sa vie s'embellissait de l'idée qu'elle occupait la vie de Lothario, et qu'elle avait pris dans les pensées de cet homme extraordinaire une place que personne, peut-être, ne partageait avec elle. Quant à Lothario, sa mélancolie augmentait tous les jours, et s'augmentait surtout de ce qui semblait propre à la dissiper. Souvent, en serrant la main de madame Alberti, en reposant ses yeux sur le doux sourire d'Antonia, il avait parlé de son départ avec un soupir étouffé, et ses paupières s'étaient mouillées de larmes.

Cette disposition mélancolique de l'esprit qui leur était commune les éloignait des lieux publics et des plaisirs bruyants auxquels les Vénitiens se livrent pendant la plus grande partie de l'année. Leur temps se passait ordinairement en promenades sur les Lagunes, dans les îles qui y sont semées, ou dans les jolis villages de la Terre-Ferme qui bordent les rives élégantes de la Brenta. Cependant, de tous les lieux où ils aimaient à se retrouver, il n'en était aucun qui leur offrit plus charmes qu'une île étroite et allongée, que les habitants de Venise appellent le *Lido*, ou le rivage, parce qu'elle termine en effet les Lagunes du côté de la mer, et qu'elle est comme leur limite. La nature semble avoir imprimé à ce lieu un caractère particulier de tristesse et de solennité, qui ne réveille que des sentiments tendres, qui n'excite que des idées graves et rêveuses. Du côté seulement où il a vue sur Venise, le Lido est couvert de jardins, de jolis vergers, de petites maisons simples, mais pittoresques. Aux beaux jours de fête de l'année, c'est le rendez-vous des gens du peuple, qui viennent s'y délasser des fatigues de la semaine, par des jeux et des danses champêtres. De là, Venise se développe aux yeux dans toute sa magnificence ; le canal, couvert de gondoles, présente dans sa vaste étendue l'image d'un fleuve immense, qui baigne le pied du palais ducal et les degrés de Saint-Marc. Une pensée amère serre le cœur, quand on distingue au-dessous de ses dômes majestueux les murs noircis par le temps de l'inquisition d'État, et quand on essaye de compter à part soi les innombrables victimes d'une tyrannie inquiète et jalouse que ces cachots ont dévorées.

En remontant vers la crête du Lido, on se sent attiré par l'aspect d'un bosquet de chênes qui en occupe toute la partie la plus élevée, qui s'étend en rideau de verdure au-dessus du paysage, ou qui s'y divise çà et là en groupes frais et ombreux. On croirait, au premier abord, que cet endroit, favorable à la volupté, ne renferme d'autres mystères que ceux du plaisir ; il est consacré aux mystères de la mort. Un grand nombre de tombes éparses, chargées de caractères singuliers et inintelligibles pour la plupart des promeneurs, semblent annoncer la dernière demeure d'un peuple effacé de la terre, qui n'a point laissé d'autres monuments. Cette idée imposante qui rassemble, qui confond avec le sentiment de la brièveté de la vie celui de l'antiquité des temps, a quelque chose de plus vaste et de plus austère que celle qui naît sur la pierre mortuaire d'un homme que nous avons connu vivant ; mais elle n'est qu'une erreur. On n'a pas fait quelques pas que la rencontre d'une pierre plus blanche, ornée d'une manière plus moderne, et souvent semée encore de fleurs à peine fanées qu'est venu y déposer l'amour conjugal, la piété filiale en deuil, dissipe cette illusion. Ces lettres inconnues sont empruntées à la langue d'une nation à laquelle Dieu a promis de ne point finir, et qui vit séparée des hommes, au milieu des hommes avec lesquels elle n'a pas même le droit de mêler sa poussière. C'est le cimetière des Juifs. En redescendant à l'opposé de Venise, tout-à-coup les arbres deviennent plus rares, le gazon poudreux et flétri ne se fait plus remarquer que d'espace en espace ; la végétation disparait enfin tout-à-fait, et le pied s'enfonce dans un sable léger, mobile, argenté, qui revêt tout ce côté du Lido, et qui aboutit à la grande mer. Ici le point de vue change entièrement, où plutôt l'œil égaré sur un espace sans bornes cherche inutilement ces monuments somptueux, ces bâtiments élégamment pavoisés, ces gondoles agiles, qui, un moment auparavant, l'occupaient de tant de distractions brillantes et flatteuses. Il n'y a pas un récif, pas un banc de sable qui le repose dans cette vague étendue. Ce n'est plus la surface plane et opaque des canaux tranquilles qui ne se rident le plus souvent que sous la rame légère du gondolier, et qui embellissent, de leur cours toujours égal, des rues où chaque maison est un palais digne des rois. Ce sont les flots orageux de la mer indépendante, de la mer qui ne reçoit point les lois de l'homme, et qui baigne indifféremment des villes opulentes ou des grèves stériles et désertes.

Ce genre d'idées était d'une nature bien sérieuse pour l'âme timide d'Antonia, mais elle s'était peu à peu familiarisée avec les scènes et les images les plus sombres, parce qu'elle savait que Lothario y prenait plaisir, et qu'il ne goûtait avec douceur, avec plénitude, le charme d'une conversation recueillie, que dans les solitudes les plus agrestes. Ennemi des formes du monde qui contraignaient, qui réprimaient l'expansion de son ardente sensibilité, il n'était véritablement lui que lorsque le cercle de la société était franchi, et que, seul avec la nature et l'amitié, il pouvait donner carrière à l'impétuosité de ses pensées, souvent bizarres, toujours énergiques et franches, quelquefois grandes et sauvages comme le désert qui l'inspirait. C'est alors surtout que Lothario paraissait quelque chose de plus qu'un homme. C'est quand, libre des convenances qui rapetissent l'homme, il semblait prendre possession d'une création à part, et respirer du poids des institutions sociales dans un endroit où elles n'avaient pas pénétré. Appuyé contre un arbre sans culture, sur un sol que les pas du voyageur n'ont jamais foulé, il rappelait quelque chose de la beauté d'Adam après sa faute. Plusieurs fois, Antonia l'avait considéré dans cette situation à cette partie supérieure du Lido où se trouve le cimetière des Israélites. De là, pendant qu'il portait alternativement ses regards sur Venise et sur la mer, sa physionomie, si mobile, si animée, si expressive, peignait ce qui se passait en lui avec autant de netteté, autant de précision que la parole. On lisait dans ses regards le rapprochement pénible que faisait son esprit, de ces tombeaux intermédiaires entre un monde tumultueux et la monotonie éternelle des mers, avec le terme de la vie de l'homme, qui est aussi placé, peut-être, entre une agitation sans but et une inaction sans fin. Sa vue s'arrêtait douloureusement aux dernières limites de l'horizon du côté du golfe, comme si elle eût cherché à les reculer encore, et à trouver au-delà quelque preuve contre le néant. Un jour Antonia, pénétrée de cette idée comme s'il la lui avait communiquée, s'élança jusqu'à lui du tertre où elle était assise ; et, saisissant sa main de toute la force dont elle était capable :

– Dieu, Dieu ! s'écria-t-elle en lui indiquant du doigt la ligne indécise où la dernière vague se mêlait au premier nuage... il est là !

Lothario, moins surpris que touché d'avoir été compris, la pressa contre son sein.

– Dieu manquerait dans toute la nature, répondit-il, qu'on le trouverait dans le cœur d'Antonia.

Madame Alberti, témoin de tous leurs entretiens, prenait moins d'intérêt à ceux qui se tournaient vers ces grands objets de méditation, parce qu'elle croyait sans effort, avec une foi naïve, et qu'elle n'avait jamais supposé qu'on pût mettre en doute les seules idées sur lesquelles reposent le bonheur et les espérances de l'homme. Quelques circonstances lui avaient donné lieu de croire que les opinions religieuses de Lothario n'étaient pas d'accord en tout avec celles d'Antonia ; mais elle était loin de penser que cela s'étendit jusqu'aux principes fondamentaux de sa croyance, et ce petit défaut d'harmonie entre deux cœurs qu'elle voulait unir l'inquiétait bien légèrement. Quelque parfait que fût Lothario, elle sentait qu'il pouvait se tromper, mais elle était sûre qu'un homme aussi parfait que Lothario ne pouvait pas se tromper toujours.

XI

Je grince les dents quand je vois les injustices qui se commettent, et comment on persécute de pauvres misérables au nom de la justice et des lois.

Gœthe.

Un jour que leur promenade s'achevait plus tard que de coutume, à une heure où l'obscurité qui commençait à s'étendre sur la mer ne laissait plus distinguer Venise qu'aux lumières éparses de ses bâtiments ; dans le silence où reposait toute la nature, et où l'oreille saisissait facilement les moindres bruits, celle d'Antonia fut tout-à-coup frappée d'un cri extraordinaire qui n'était cependant pas nouveau pour elle et qui la fit tressaillir. Elle se souvenait de l'avoir entendu au *Farnedo*, le jour où elle y avait rencontré un vieux poète morlaque, et depuis, aux environs du château de Duino, quand le moine arménien s'était élancé au milieu des brigands et les avait dispersés devant lui. Elle se rapprocha de sa sœur par un mouvement involontaire, et chercha de l'œil Lothario qui était debout à la proue de la gondole. Peu après, ce bruit se renouvela, mais il partait d'un point beaucoup plus voisin, et au même instant la gondole éprouva une secousse violente, comme si elle avait été touchée par une autre. Lothario n'y était plus. Antonia poussa un cri et se leva précipitamment en l'appelant. La gondole restait immobile. Un grand bruit qui se faisait à côté fixa son attention, et changea son épouvante en curiosité. Elle distinguait très bien, dans cette rumeur confuse, la voix de Lothario qui parlait avec autorité au milieu d'une poignée d'hommes assemblés sur un bateau découvert. Il ne lui fallut qu'un moment pour comprendre que ces hommes étaient des sbires déguisés qui conduisaient un prisonnier à Venise, et qui se plaignaient qu'on leur eût fait perdre leur proie. Indigné en effet de la violence qu'on faisait à ce misérable, et ne voyant, dans les traitements rigoureux qu'il éprouvait, qu'un abus odieux de la force, Lothario s'était élancé sur le bâtiment, et avait délivré l'inconnu en le précipitant dans la mer d'où il pouvait gagner un bord voisin à la nage. Les sbires éclatèrent d'abord en reproches et en menaces, car ce prisonnier était fort important ; on avait même des raisons de penser que c'était un émissaire de Jean Sbogar, et ils attendaient un grand prix de leur capture ; mais ils rentrèrent dans un respectueux silence en reconnaissant Lothario, dont l'influence mystérieuse servait de frein, dans ces temps de crise, à tous les excès du pouvoir. Après leur avoir adressé quelques mots de mépris, il laissa tomber au milieu d'eux une poignée de sequins, et remonta paisiblement sur la gondole où son retour mit un terme aux inquiétudes d'Antonia. À l'instant où ils entraient dans le canal, le cri singulier qui avait averti quelque temps auparavant l'attention de Lothario se fit entendre de nouveau à la pointe de la Judecque. Antonia présuma que l'homme que Lothario venait de tirer des mains des sbires était abordé en cet endroit, et qu'il en donnait connaissance à son libérateur, pour lui apprendre qu'il n'avait pas reçu de lui un bienfait inutile. Lothario parut éprouver un vif transport de joie, et ce sentiment se communiqua au cœur d'Antonia, qui, à travers la crainte vague qui l'occupait encore, jouissait vivement de la perfection de l'âme de Lothario, qu'elle avait vu toujours prêt à se révolter contre l'injustice et à se dévouer pour le malheur. Elle concevait que cette impétuosité invincible de sentiments l'exposait à tomber quelquefois dans des excès dangereux, mais elle ne supposait pas qu'on pût blâmer jamais des fautes aussi nobles dans leur motif.

Madame Alberti recevait rarement du monde, parce qu'elle avait remarqué que ce genre de distraction, qui consiste le plus souvent dans un échange de bienséances réciproquement importunes, convenait peu à Antonia dont les goûts la dirigeaient en toutes choses. Cependant, ce jour-là même, contre l'ordinaire, elle attendait une société assez nombreuse, qui arriva presque en même temps qu'elle. Déjà le bruit du singulier incident qui venait de se passer s'était répandu dans les groupes de la place Saint-Marc, et l'opinion populaire, toujours favorable à Lothario, avait présenté sa conduite sous le jour le plus brillant. Le peuple vénitien, qui est en apparence le plus souple de tous et le plus facile à asservir ; ce peuple si soumis, si humble, si caressant pour ses maîtres, est peut-être de tous les peuples le plus jaloux de sa liberté ; et, dans ces moments de tourmente publique où le pouvoir indécis passait de main en main à la merci du hasard, il se rattachait avec enthousiasme à tout ce qui paraissait garantir son indépendance ou la défendre dans l'absence des institutions. La moindre atteinte à la sûreté des individus inquiétait, révoltait son irritabilité ombrageuse, et il était bien moins porté à voir, dans les actes les plus légitimes de l'autorité, ce qu'elle faisait pour maintenir sa sécurité, que ce qu'elle pouvait faire un jour pour la détruire. Le nom de Jean Sbogar était parvenu à Venise comme celui d'un homme dangereux et redoutable ; mais il n'y avait jamais donné d'alarmes, parce que sa troupe, trop peu nombreuse pour tenter un coup de main sur une grande ville, ne portait guère les ravages que la renommée lui reprochait que dans quelques villages de la Terre-Ferme auxquels les habitants des Lagunes étaient aussi étrangers que s'ils en avaient été séparés par des mers immenses. Un émissaire de Jean Sbogar n'était donc pas un ennemi pour Venise, et l'on ne voyait généralement dans l'action de Lothario qu'un de ces mouvements de générosité énergique qui paraissaient si naturels à son caractère, et qui lui avaient déjà gagné l'affection des classes inférieures et l'estime de tout le monde. La conversation se tourna naturellement sur cet objet dans le cercle de madame Alberti, malgré l'embarras visible de Lothario, dont la modestie ne supportait pas les moindres éloges sans impatience, et rien n'annonçait que cette thèse inépuisable dans le style de la politesse vénitienne dût se terminer enfin à la grande satisfaction de l'homme qui en était l'objet, lorsqu'Antonia, tourmentée du malaise que manifestait sa physionomie, s'empressa de saisir un aspect moins favorable de cet événement pour soulager Lothario du poids d'une admiration importune.

– Si cependant, dit-elle en souriant, le seigneur Lothario s'était trompé sur l'objet de son généreux dévouement ; si la mauvaise opinion qu'il a des sbires s'était trouvée cette fois en défaut ; s'il avait joint au malheur d'entraver l'action des lois et de leur opposer une résistance qui est toujours répréhensible, celui de dérober au châtiment qui lui est dû un de ces coupables qu'aucune classe de la société ne réclame, de faire rentrer dans le monde effrayé quelques-uns de ces monstres qui ne marquent leurs jours que par des scélératesses ; s'il avait délivré un des compagnons de Jean Sbogar,… et, je frémis d'y penser ! Jean Sbogar lui-même !…

– Jean Sbogar ! interrompit Lothario avec l'accent de l'inquiétude et de la surprise. Mais qui pourrait penser, continua-t-il, que Jean Sbogar, ou même un des siens, eût osé se jeter au milieu de Venise, sans but, sans intérêt connu, car ce n'est point dans une grande ville que ces bandits peuvent exercer ouvertement le brigandage et l'assassinat ? Cet artifice des sbires est trop grossier !...

- Il est absurde, s'écria madame Alberti. On conçoit qu'un proscrit d'un ordre élevé, que le chef d'un parti généreux s'introduise dans une ville où son jugement est porté, où il est dévoué à la mort et attendu par l'échafaud. Quand cette tentative serait inutile à sa cause, combien de sentiments peuvent l'y déterminer ! Mais quel sentiment, quelle passion déterminerait un misérable chef de voleurs, dont le cœur n'a jamais palpité que de l'espoir du butin, à exécuter une entreprise aussi téméraire ? Ce n'est pas l'amour, sans doute ! Heureux ou malheureux dans ses desseins, toujours sûr d'inspirer le même mépris, de quelle femme obtiendrait-il les regards, sinon de celles pour qui l'on serait honteux de rien entreprendre ? Est-il quelqu'un qui comprenne l'amante de Jean Sbogar ?

- En effet, dit Lothario, ce serait singulier.

- Au reste, continua madame Alberti, qui sait même si cet homme existe ; si son nom n'est pas le mot d'ordre d'une bande aussi méprisable que les autres, mais assez adroite pour chercher à relever sa bassesse par l'éclat de quelque renommée ?

- Sur ce point, madame, dit un homme d'un âge avancé, qui avait écouté attentivement madame Alberti pendant qu'elle parlait, et qui faisait remarquer depuis quelque temps l'intention de lui répondre, vos doutes sont mal fondés. Jean Sbogar existe très réellement, et ne m'est pas tout-à-fait inconnu.

Le cercle se resserra, à l'exception de Lothario qui continuait de prêter à la conversation une attention assez froide, selon son usage, celle tout au plus qu'exige la politesse dans un entretien dont l'objet est également indifférent à tout le monde.

- Je suis Dalmate, continua l'étranger, et né à Spalatro.

- À Spalatro ? dit Lothario en se rapprochant. Je connais beaucoup ce pays.

- C'est dans les environs de cette ville qu'est né Jean Sbogar, reprit le vieillard, au moins si j'en crois les témoignages qui me sont parvenus, car ce nom même n'est pas son nom. Il le prit en quittant sa famille, qui est une des plus nobles et des plus illustres de notre province, et qui remonte en ligne directe à un prince d'Albanie. Je ne vous dirai pas ce qui le détermina à cette démarche, mais il passa presque enfant au service des Turcs, et de là dans la révolte des Serviens, où il s'acquit promptement une grande réputation militaire. Les événements n'ayant pas été favorables à son parti, il fut obligé de fuir pour se dérober à la proscription. Il rentra, dit-on, en Dalmatie et s'y trouva déshérité. Accoutumé à une vie orageuse, et tourmenté, à ce qu'il paraît, de passions sombres et violentes, il saisit la première occasion venue de se rattacher à un état de révolution permanent. S'il s'était trouvé dans une de ces positions heureuses où l'activité et le génie mènent à tout, il se serait acquis peut-être une réputation honorable. À défaut des périls qui donnent la gloire, il a embrassé ceux qui ne donnent que le mépris et l'échafaud. C'est un être bien à plaindre !

– Vous l'avez vu, vous avez vu Jean Sbogar ? dit Antonia.

– Je l'ai souvent pressé dans mes bras quand il était enfant, répondit le vieillard. C'était alors une âme douce et tendre, et une figure si noble et si belle !

– Il était beau ? s'écria madame Alberti.

– Pourquoi pas ? murmura Lothario. Une belle physionomie est l'expression d'une belle âme ; et que de belles âmes ont été altérées, aigries, quelquefois dégradées par l'infortune ! Que d'enfants étaient l'orgueil de leurs mères, qui sont devenus le rebut ou la terreur du monde ! Satan, la veille de sa chute, était le plus beau des anges. Mais, continua-t-il eu élevant la voix, l'avez-vous connu plus âgé ?

– Jusqu'à dix ou douze ans, dit le vieux Dalmate, et, depuis quelque temps, il était devenu rêveur et solitaire. J'ai toujours pensé depuis que je le reconnaîtrais si je le rencontrais jamais.

– Dieu vous préserve, reprit Lothario, de le reconnaître sur le banc des assassins ! Ce moment serait également affreux pour vous et pour lui... pour lui à qui il rappellerait les souvenirs d'une jeunesse dont il a démenti les promesses, et qui fait peut-être maintenant son plus grand supplice !

- En vérité, Lothario, dit Antonia, vous êtes trop disposé à pressentir de semblables impressions dans les autres. Vous ne pensez pas que, dans Jean Sbogar, elles se sont nécessairement aliénées par le seul effet de ses habitudes, et que son âme basse et flétrie ne les comprendrait plus quand il serait vrai, comme on le dit, qu'elle eût jamais pu les comprendre !

Lothario sourit avec douceur à Antonia ; puis, se retournant vers les autres personnes qui composaient la société, et s'adressant plus particulièrement au vieillard qui venait de parler :

- Que le coupable est malheureux sur la terre, dit-il en secouant la tête, puisqu'il est détesté par de telles âmes, sans qu'il lui reste devant elles un prétexte pour se justifier ou pour attendrir la rigueur de leur jugement ! Il ne leur paraît qu'un monstre placé tout-à-fait hors de la nature par la bizarrerie féroce de sa destinée, et qui ne tient à rien d'humain. Il n'a été jeté au rang des vivants que pour les effrayer et pour mourir. Cet infortuné n'a pas eu de parents. Il n'a point compté d'amis. Son cœur n'a jamais battu d'un sentiment profond de tristesse à la vue d'un malheureux comme lui. Son œil sans larmes s'est fermé au sommeil à côté de la misère qui veille et qui pleure. Grand Dieu ! qu'une pareille supposition troublerait pour moi l'ordre déjà si triste de la société humaine ! Ah ! j'aime mieux croire à l'erreur d'un jugement faux, à l'aigreur d'un cœur blessé, à la réaction d'une vanité noble, mais impitoyable, qui s'est révoltée contre tout ce qui la froissait, et qui s'est ouvert une voie de sang parmi les hommes pour se faire connaître à son passage et pour en laisser une marque.

- J'ai pensé cela, dit Antonia émue en se rapprochant de Lothario, et en appuyant sa main sur son épaule.

- La pensée d'Antonia, continua-t-il, est toujours une révélation du ciel. Quant à moi, j'ai bien compris, j'ai senti souvent de quelle amertume les misères de la société pouvaient navrer une âme énergique ; je conçois les ravages que la passion du bien même produirait quelquefois dans un cœur ardent et inconsidéré. Il est des hommes turbulents par calcul, orageux par intérêt, dont l'exaltation hypocrite ne surprendra jamais ni mon esprit ni ma pitié ; mais tant que je trouve la loyauté sous une action téméraire, extravagante ou féroce, je suis tout prêt à me faire le second de l'homme qui l'a commise, la justice l'eût-elle déjà condamné.

Antonia retira sa main avec une sorte d'effroi. Lothario la saisit.

– L'homme a appartenu à deux états bien différents, mais il a emporté dans le second quelques souvenirs du premier ; et chaque fois qu'une grande commotion politique fait pencher vers son état naturel la balance de la société, il s'y précipite avec une incroyable ardeur, parce que telle est la tendance de son organisation, qui le ramène toujours d'une autorité irrésistible à la jouissance la plus complète de liberté qu'il puisse se procurer. Ce sentiment peut être affreux par ses résultats ; il est presque toujours absurde dans ses combinaisons, mais il tient à la nature de l'homme, et il est en lui-même noble et touchant. C'est bien autre chose encore dans une société usée comme celles parmi lesquelles nous vivons, et où tout le pouvoir, partagé pour quelques moments entre des institutions également précaires qui n'ont plus que le droit du temps ou qui n'ont encore que celui de l'audace, menace de tomber à tout moment des mains de la témérité dans celles de la noblesse, et de devenir le partage des derniers misérables.

Eh quoi ! lorsqu'un peuple est arrivé à ce point ; lorsque, arraché à ses anciennes mœurs et à ses anciennes lois par une force invincible, et incertain de son existence, il endort sa lâche agonie dans les bras des jongleurs hypocrites qui le caressent pour hériter de ses dernières dépouilles ; lorsque la société, si près de sa ruine, ne repose presque plus parmi les méchants que sur des intérêts, parmi les honnêtes gens que sur quelques règles de morale qui vont cesser d'exister, il sera interdit à l'homme fort qui trouve en lui, et dans l'impulsion qu'il est capable de donner aux autres, la garantie, la seule garantie des droits de l'espèce entière,... il lui sera défendu de rassembler toutes ses facultés contre l'ascendant de la destruction, contre le progrès de la mort ! Je sais bien que cet homme n'arborera point l'étendard des sociétés ordinaires. Les sociétés ordinaires le repousseraient, car il leur parlerait un langage qu'elles n'entendent point et qu'il leur est défendu d'entendre. Pour les servir, il doit se séparer d'elles, et la guerre qu'il leur déclare est la première caution de l'indépendance qu'elles trouveront un jour sous ses auspices, quand la main qui maintient les États se sera retirée tout-à-fait.

Alors ces méprisables brigands, l'objet du dégoût et de l'horreur des nations, en deviendront les arbitres, et leurs échafauds se changeront en autels.

Ce n'est point ici un paradoxe, continua Lothario, c'est une induction tirée de l'histoire des peuples, et qui s'appuie de l'exemple de tous les siècles. Qui ne verrait un effet très naturel de l'ordre des choses dans cet esprit de renouvellement qui se manifeste à la fin d'une civilisation, et qui la tue pour la rajeunir ? car enfin les nations ne rajeunissent qu'ainsi, au moins s'il faut en croire l'expérience. Et vous croyez à la Providence, et vous osez blâmer ses moyens ! Quand un volcan épure la terre en couvrant vos campagnes de laves fumantes, vous dites que Dieu l'a voulu ; et vous ne croyez pas que Dieu a revêtu d'une mission particulière ces hommes de sang et de terreur qui usent, qui brisent les ressorts de l'état social pour le recommencer ! Cherchez dans votre mémoire quels sont les fondateurs des sociétés nouvelles, et vous verrez que ces hommes sont des brigands comme ceux que vous condamnez ! Qu'étaient, je vous le demande, ces Thésée, ces Pirithoüs, ces Romulus qui ont marqué le passage des âges barbares à l'âge héroïque auquel ils ont présidé ; Hercule lui-même dont le nom est resté en vénération parmi les faibles, parce que les forts n'eurent jamais d'ennemi plus redoutable, et dont la colère ne s'adressait qu'aux rois et aux dieux ? Les prêtres consacrèrent le souvenir de ses travaux, et lui décernèrent l'apothéose, quoiqu'il fût bâtard, voleur, meurtrier et suicide. J'ai vu, dans mon voyage à Athènes, la montagne sur laquelle Mars a été mis en jugement pour assassinat.

Pendant que Lothario parlait, Antonia s'était assise, et le regardait avec un sentiment indéfinissable. Madame Alberti prenait une part moins vive à ses discours, mais elle en jouissait comme d'une idée singulière et nouvelle ; et tel était sur elle l'empire de ces idées, qu'il lui faisait souvent oublier combien elles étaient en opposition avec les sentiments qu'elle avait reçus de son éducation, ou que sa propre raison lui avait inspirés.

Le caractère de Lothario, connu d'ailleurs par une indépendance un peu farouche, et par un penchant prononcé pour les opinions qui ne portaient pas le sceau du pouvoir, et l'approbation plus honteuse encore de la multitude, prêtait à ses expressions un intérêt piquant et singulier ; sa position dans le monde était telle qu'on ne pouvait voir dans ses idées les plus bizarres et les plus hasardées qu'un caprice de son imagination. Cette impression était si générale quand il avait parlé qu'il était rare qu'on essayât de le contredire. On lui savait gré de l'effusion de son cœur, de l'abandon de ses mouvements. On ne lui en demandait pas compte. Cette conversation était finie depuis longtemps, et Lothario, absorbé, ne prenait plus part à l'entretien indifférent, à l'échange froid des phrases insignifiantes qui y avait succédé. La tête appuyée sur sa main, il attachait un œil sombre sur Antonia, qui avait changé de place sans s'en apercevoir pour se rapprocher de lui, et qui paraissait frappée d'une pensée douloureuse.

– Lothario, lui dit-elle à demi-voix en lui tendant la main, votre amour pour les faibles et les malheureux vous entraîne quelquefois à dire des choses que vous n'approuveriez plus après avoir réfléchi. Défiez-vous d'un enthousiasme que de certaines circonstances pourraient rendre funestes à votre bonheur, au bonheur de ceux qui vous aiment.

– De ceux qui m'aiment ! s'écria Lothario… Ah ! si j'avais été aimé ! si j'avais pu l'être ! si le monde m'avait été connu ; si le regard d'une femme digne de mon cœur était tombé sur mon cœur avant que le malheur l'eût flétri !… Quelle étrange supposition !…

Antonia s'était encore rapprochée pour isoler Lothario, ou pour mieux l'entendre. Sa main était croisée dans la sienne.

– Oui, reprit Lothario, si une femme qui m'aurait été destinée avait permis à ma misérable vie un sentiment qui ressemblât à de l'amour ; si un être qui eût approché d'Antonia, qui en eût approché de loin comme l'ombre de la réalité, m'avait pris alors sous la protection de sa pitié ;… si j'avais pu respirer sans profanation l'air agité par les plis de sa robe on les ondes de ses cheveux ; si mes lèvres avaient osé te dire : Antonia, je t'aime !…

La société s'écoulait. Antonia, tremblante, avait cessé de comprendre sa position. Elle restait immobile, et madame Alberti était rentrée ; mais Lothario n'avait rien changé à son langage. Il répétait sa dernière phrase avec une expression plus sombre, et entraînait madame Alberti vers sa sœur avec un cri douloureux.

- Que faites-vous, dit-il, que faites-vous de Lothario ? Connaissez-vous Lothario, ou plutôt cet inconnu, cet homme du hasard qui n'a point de nom ? Et vous, la sœur de cette enfant, savez-vous que je l'aime, et que mon amour donne la mort ?

Antonia souriait amèrement.

Cette liaison d'idées ne se faisait pas sentir à son esprit ; mais elle y voyait un présage pénible.

Madame Alberti ne s'étonnait point. Ces expressions n'étaient pour elle que celle d'un amour exalté, comme Lothario devait le sentir, et comme elle s'en était souvent fait l'image. Elle pressa la main de Lothario, en le regardant d'une manière affectueuse, pour lui témoigner qu'il dépendait de lui d'être heureux, et qu'il ne trouverait point d'obstacle à ses vœux dans la seule personne qui pût encore exercer quelque empire sur les résolutions de sa sœur. Les sentiments d'Antonia, encouragés par cet aveu, se manifestaient avec plus d'abandon. Elle les peignit d'un regard, le premier regard de ses yeux que l'amour eût animé.

- Malheur à moi ! dit Lothario d'une voix étouffée, et il disparut.

Le bruit d'une rame qui frappait le canal troubla le morne silence qui avait suivi son départ. Antonia s'élança vers la fenêtre. La lune éclairait d'un de ses rayons le panache flottant de Lothario, qui était ce jour-là vêtu à la vénitienne. L'aspect du ciel, le mouvement de l'air, l'heure, l'instant, quelque autre circonstance peut-être, rappelèrent à Antonia l'apparition de ce brigand inconnu qu'elle avait vu partir du môle de Saint-Charles. Son cœur ne céda qu'un moment à ce souvenir d'effroi. Quel que fût le motif secret du trouble de Lothario, il lui avait dit qu'il l'aimait, et sa tendresse devait la protéger contre tous les périls.

XII

Ah ! contrée délicieuse ! s'il se trouvait quelque séjour propre à calmer un peu les peines d'un cœur désolé, à panser les blessures profondes faites par les traits du chagrin, et à rappeler les premières illusions de la vie, ce serait toi sans doute qui l'offrirait ! Ton aspect enchanteur, tes bois solitaires, ton air pur et balsamique ont le pouvoir de calmer toute sorte de tristesse… hors le désespoir.

Charlotte Smith.

Madame Alberti passa la nuit et une partie du jour suivant à chercher des interprétations aux discours mystérieux de Lothario. Elle n'en trouva point qui changeassent la moindre chose à ses dispositions. Une naissance peut-être obscure, une fortune peut-être dérangée par des prodigalités excessives, de grands malheurs politiques ou privés qui le tenaient pour jamais éloigné de sa patrie, telles furent les diverses suppositions sur lesquelles son imagination s'arrêta, et aucune d'elles ne lui faisait naître l'idée d'un obstacle fondé au bonheur d'Antonia. La résistance même de Lothario s'expliquait alors par des sentiments si délicats et si honorables qu'elle n'hésita pas sur les moyens d'en triompher.

Après quelques moments d'entretien avec Antonia, elle l'autorisa à disposer de sa main en faveur de Lothario, et à lui en donner la nouvelle elle-même, persuadée que ses généreux scrupules ne résisteraient pas à l'amour. Antonia, plus craintive et menacée, par des sentiments sombres dont elle avait conservé l'habitude depuis l'enfance, de ne jamais goûter la félicité dont on lui présentait les images, attendait avec une impatience plus inquiète que ce jour fût écoulé. Il lui semblait que Lothario ne reviendrait point, qu'elle l'avait vu pour la dernière fois.

Il revint cependant.

Sa physionomie triste et fatiguée annonçait des méditations pénibles. Son teint était plombé. Son œil avait perdu la douceur ordinaire de son expression ; il peignait le vague inquiet et orageux d'une imagination malade. Il s'assit près d'Antonia et la regarda fixement ; madame Alberti était occupée à quelque distance et se dérobait à dessein à leur conversation. Cette situation avait quelque chose de difficile pour l'organisation timide et faible d'Antonia. Elle essayait de sourire, et une larme roulait dans ses yeux. Son cœur battait avec une grande violence. Quelquefois elle se détournait de Lothario, et puis elle s'étonnait, en revenant à lui, de le retrouver dans cette contemplation immobile et sinistre où elle l'avait laissé. Elle voulait articuler quelques paroles, mais elle balbutiait à peine des sons confus, et Lothario ne s'informait point de ce qu'elle avait voulu dire. L'attention avec laquelle il la couvrait de son regard avait quelque chose d'un prestige et d'une vision nocturne. Enfin elle parvint à rompre une partie de ce charme, en lui disant :

- Vous êtes donc malheureux, Lothario ?...

Cette question se liait, par un rapport imperceptible, à leur dernier entretien, mais elle était plutôt l'expression d'un sentiment douloureux qui résultait de ce qu'elle avait promis de dire.

Lothario ne répondit point.

- Cependant, continua-t-elle, vous seriez trop cruel envers ceux qui vous aiment...

- Ceux qui m'aiment ! dit Lothario en couvrant sa tête de ses mains. Toujours ceux qui m'aiment ! Mon mauvais ange vous a enseigné là une phrase magique qui me navre l'âme !

- J'y revenais à dessein, répondit Antonia, car je ne sais point de malheur absolu pour l'homme qui est aimé ; et si tel est votre destin, Lothario, que beaucoup d'affections aient trompé votre tendresse, que beaucoup de félicités aient échappé à vos espérances, ce ne fut jamais à ce point, mon ami, que vous n'ayez plus trouvé auprès de vous cette compensation si précieuse qui dédommage un cœur sensible de toutes les douleurs ; vous le savez, Lothario, vous êtes aimé.

Lothario se remit à regarder Antonia, mais le caractère de sa physionomie était tout-à-fait changé. On ne remarquait en lui qu'un mélange de joie inquiète, d'étonnement et de terreur qui n'appartenait pas à ses traits.

- Lothario, poursuivit-elle, je ne connais ni votre famille, ni votre rang, ni votre fortune, et il m'importe peu de connaître tout cela ; mais on m'a dit que la main de cette Antonia dont vous désirez d'occuper le cœur n'était à dédaigner pour personne, sous aucun de ces rapports ; et Antonia, libre de son choix, ne l'arrêterait que sur vous.

- Sur moi ! s'écria Lothario avec une sorte de fureur.

Madame Alberti s'approcha.

- Sur moi ! et c'est vous, c'est Antonia qui m'accable d'une dérision si amère !

- Lothario, reprit Antonia, d'un ton de dignité froide, vous méprisez Antonia, ou vous ne l'avez pas comprise.

- Mépriser Antonia ! Que signifie ce langage ? De quoi m'a-t-on parlé ? D'un mariage, si je ne me trompe, et c'est vous...

Antonia s'appuya sur sa sœur. Elle pleurait.

- Ma fille, dit madame Alberti, respecte ses secrets. Il ne te repousserait point si un obstacle invincible, un autre lien peut-être...

Lothario l'interrompit.

- Ah ! gardez-vous de le croire. Né pour aimer Antonia, et pour n'aimer qu'elle, je n'ai engagé ma liberté dans aucune autre affection... Et si sa main pouvait être le prix de l'amour - ou du courage, c'est à moi, je le jure, qu'elle appartiendrait ; mais de quel droit et à quelles conditions ? À quelles conditions, grand Dieu ! et quel homme oserait les proposer ? Vengeances du ciel, que vous êtes redoutables ! Écoutez-moi, n'avez-vous pas entendu dire, - ne vous a-t-on pas parlé - il y a peu de temps encore d'un homme qui s'appelle - Lothario - ce doit être son nom ! et l'épouse de Lothario, dans quel palais, le savez-vous, dans quels domaines il la présenterait à ses vassaux !

Antonia s'assit. Un frisson mortel glaçait ses membres. Des lueurs horribles apparaissaient à son esprit qui se révoltait contre elles. Elle cherchait à pénétrer cet impénétrable mystère ; et tout ce qu'elle pouvait distinguer, c'est qu'il était profond et affreux.

Lothario s'éloignait, se rapprochait d'elle tour à tour. Quelquefois ses traits portaient l'empreinte du délire, quelquefois ils paraissaient se détendre et se décomposer sous une force irrésistible. Depuis quelque temps il était pensif et abattu. Tout-à-coup son front s'éclaircit, ses yeux s'animèrent, une idée subite qui le réconciliait avec l'espérance éclata sur sa physionomie. Il tomba aux genoux d'Antonia ; et pressant avec transport ses mains et celles de madame Alberti en les baignant de larmes :

- Si cependant, dit-il, j'avais été le monde pour elle et pour vous !

- Le monde ! répondit Antonia.

- Elle et vous, continua madame Alberti. Toute ma vie était dans cette pensée.

- Il serait vrai ! s'écria Lothario, comme accablé sous le poids d'un bonheur qu'il n'avait jamais prévu ; il serait vrai, et je pourrais commencer avec vous une existence nouvelle, emporter mon nom et ma destinée du milieu des hommes - je le pourrais ! Mais faut-il... comment oserais-je soumettre ce que j'aime... Ainsi le veut ma fatale étoile ! C'est loin d'ici, loin des villes, dans un pays où vous jouiriez inutilement de l'éclat d'un grand nom et d'une grande fortune ; mais où désormais je consacrerais ma vie entière... Ah ! laissez-moi me reposer un moment sous les sentiments qui m'oppressent !

Lothario garda le silence pendant quelques minutes, puis il se leva ; et, reprenant son discours avec plus de calme, il s'exprima ainsi :

- Bien jeune encore, je sentais déjà avec aigreur les maux de la société, qui ont toujours révolté mon âme, qui l'ont quelquefois entraînée dans des excès qu'Antonia me reprochait hier, et que je n'ai que trop péniblement expiés. Par instinct plutôt que par raison, je fuyais les villes et les hommes qui les habitent ; car je les haïssais, sans savoir combien un jour je devais les haïr. Les montagnes de la Carniole, les forêts de la Croatie, les grèves sauvages et presque inhabitées des pauvres Dalmates, fixèrent tour à tour ma course inquiète. Je restai peu dans les lieux où l'empire de la société s'était étendu ; et, reculant toujours devant ses progrès qui indignaient l'indépendance de mon cœur, je n'aspirais plus qu'à m'y soustraire entièrement. Il est un point de ces contrées, borne commune de la civilisation des modernes et d'une civilisation ancienne qui a laissé de profondes traces, la corruption et l'esclavage : le Monténègre est comme placé aux confins de deux mondes, et je ne sais quelle tradition vague m'avait donné lieu de croire qu'il ne participait ni de l'un ni de l'autre. C'est une oasis européenne, isolée par des rochers inaccessibles, et par des mœurs particulières que le contact des autres peuples n'a point corrompues. Je savais la langue des Monténégrins. Je m'étais entretenu avec quelques-uns d'entre eux, quand des besoins qui ne s'accroissent jamais, et qui ne changent jamais de nature, en avaient amené par hasard dans nos villes. Je me faisais une douce idée de la vie de ces sauvages qui se suffisent depuis tant de siècles, et qui, depuis tant de siècles, ont su conserver leur indépendance en se défendant soigneusement de l'approche des hommes civilisés. En effet, leur situation est telle que nul intérêt, nulle ambition ne peut appeler dans leurs déserts cette troupe de brigands avides qui envahissent la terre pour l'exploiter. Le curieux seul et le savant ont quelquefois tenté l'accès de ces solitudes, et ils y ont trouvé la mort qu'ils allaient y porter ; car la présence de l'homme social est mortelle à un peuple libre qui jouit de la pureté de ses sentiments naturels. Il était donc difficile d'y pénétrer ; j'y parvins cependant, à la faveur de vêtements semblables aux leurs et de l'habitude de leur langage. Ce n'était point d'ailleurs des hommes que j'allais chercher, c'était une terre indépendante où n'avait jamais retenti la voix d'un pouvoir humain fondé sur d'autres droits que la paternité. J'avais mesuré mes besoins, ceux d'un adolescent à tête ardente, qui croit se suffire toujours, parce que, dans quelque moment d'ivresse amère, il a cru sentir que toutes les affections sont insuffisantes pour son cœur, et que Dieu l'a fait seul de son espèce. Il ne fallait à mon ambition qu'une cabane contre les froids rigoureux de l'hiver, un arbre fruitier et une fontaine. J'errai longtemps sur la seule trace des bêtes sauvages, à travers les groupes variés des montagnes Clémentines, fuyant de loin la fumée des maisons de l'homme, dans lequel un sentiment que les Monténégrins éprouvent bien réciproquement me faisait voir partout un ennemi.

Je ne vous peindrai pas les fortes impressions que je recevais de cette grande et imposante nature qui n'a jamais été soumise, et dont les bienfaits suffisent à une population heureusement assez rare pour être dispensée de les solliciter. Je ne vous dirai pas avec quelle joie je ravissais à la terre une racine nourrissante, sans crainte de faire tort à la cupidité d'un fermier avare, ou de tromper l'espérance d'une famille de laboureurs affamés, et d'entendre résonner ce mot fatal qui me rappelle toujours, comme à un de vos écrivains, l'usurpation de la terre : Ceci est mon champ ! Un jour enfin, comment exprimerai-je le mélange inexplicable des sentiments qui se succédèrent en moi ? le soleil se couchait dans la plus belle saison de l'année, il se couchait à l'extrémité d'une vallée immense qu'ombrageaient de toutes parts des bocages de figuiers, de grenadiers et de lauriers-roses, et que couvraient, de distance en distance, de petites maisons isolées, mais entourées des plus belles, des plus riantes cultures. C'est un tableau qui appartenait, il est vrai, à l'état de société, mais à la société du premier âge. En aucun temps, en aucun lieu, l'habitation du cultivateur n'avait flatté mes regards d'un aspect plus agréable. Jamais mon imagination n'avait rêvé tant de prospérité pour la demeure du villageois. Je conçus alors les rapports pleins de charmes de l'homme aimé de l'homme, et utile à son bonheur sans lui être nécessaire, dans une tribu agricole ; je regrettai de n'avoir pas vécu au moment où la civilisation n'en était qu'a ce point, ou de ne pas être admis à en jouir chez le peuple qui en goûtait la douceur. Bientôt, je frémis en pensant, en me rappelant que les lois d'une telle société devaient être terribles, et que l'étranger qui en souillait le territoire ne pouvait attendre que la mort. Mon sang bouillonnait d'indignation contre moi-même à l'instant où, dans les veines d'un autre, il se serait glacé de terreur. - Ah ! malheur au profane, m'écriai-je, qui apporterait ici les vices et les fausses sciences de l'Europe, si j'y avais une mère, une sœur ou une maîtresse ! Il paierait cher l'injure qu'il a faite à l'air que je respire en l'empoisonnant de son souffle.

Un Monténégrin m'avait entendu, car je m'étais exprimé dans sa langue.

- Telles sont aussi nos lois, me dit-il en me prenant la main, et ceux mêmes qui comme toi descendent vers nos vallons des hauteurs du Monténègre, dont les barrières extérieures sont presque insurmontables aux étrangers, ne sont pas toujours admis à vivre parmi les bergers mérédites. La différence de nos mœurs nous sépare d'ailleurs assez, puisque vous êtes chasseurs et guerriers, et que vous consentiriez difficilement à partager les douces habitudes et la vie tranquille de nos pasteurs ; seulement, pour ne point gêner la liberté naturelle des hommes, en abusant du pouvoir que nous exerçons sur nos enfants, nous permettons quelquefois l'échange de ceux que leur inclination appelle à défendre nos montagnes contre ceux d'entre vous à qui des goûts plus simples font ambitionner les paisibles travaux de nos champs ; et ce commerce libre d'hommes et de sentiments entretient nos rapports avec nos voisins, malgré la différence de nos mœurs. Ainsi, depuis des siècles, les Monténégrins guerriers enveloppent nos montagnes d'une ceinture d'hommes formidables, et protègent ces champs, qui les nourrissent à leur tour, quand la nature refuse de pourvoir à leurs besoins, ce qui arrive rarement. Vous êtes probablement un des enfants de nos frères, et tout ce grand espace, poursuivit-il en m'indiquant un recoin isolé de la vallée, délicieux par son aspect, et déjà couvert des espérances d'une riche moisson, tout cela vous appartient, qui que vous soyez. Si vous choisissez une épouse parmi nos filles ; si elle vous donne des enfants, et que votre domaine ne vous suffise plus, nous l'agrandirons en raison de vos besoins, sauf à rendre proportionnellement à la nature ce dont vous pourrez vous priver quand votre famille se sera étendue dans nos montagnes ; car chez les autres peuples on juge de la prospérité des familles et des villages à l'étendue des cultures, et chez nous on la mesure sur l'étendue des terres qui restent en friche, et dont des besoins précoces, indices d'une population trop nombreuse, n'ont pas rendu l'exploitation nécessaire. À compter de ce moment, vous êtes pasteur mérédite ; vous êtes libre, et il n'existe entre vous et nous d'autre lien obligé que celui des secours mutuels et de l'hospitalité, dans les rares occasions où quelque événement inopiné peut les rendre nécessaires. Si vous n'avez pas de besoins actuels, allez prendre possession de votre domaine ; autrement, recourez à nous, et rien ne vous manquera de ce que la nature accorde aux désirs d'un homme simple.

En achevant ces paroles, il se disposait à me quitter, mais une idée insupportable corrompait mon bonheur et me rendait incapable d'en jouir. Il y allait de ma vie de me faire connaître, mais quelque chose de plus impérieux que l'intérêt de ma vie me défendait de recevoir de la bonté hospitalière de ces montagnards un bienfait qui ne m'était pas destiné.

- Mon frère, lui dis-je, vous êtes abusé par les apparences. Je suis né hors des montagnes Clémentines ; j'y ai cherché la liberté. Tout me prouve que j'y aurais trouvé les seuls biens que je désire sur la terre, la libre jouissance de l'air, du ciel et de mon cœur ; mais ce paradis que vous m'offrez appartient à un homme plus heureux que moi. Je ne suis dans ce bocage qu'un étranger que vous avez le droit de punir.

Le Morlaque me regardait.

- Jeune homme, dit-il après un moment de silence, on ne sait pas tromper à ton âge, mais à ton âge est-on bien sûr de ne pas se tromper soi-même ? Puisses-tu être désabusé du monde que tu quittes et l'être pour toujours ! Rassure-toi d'ailleurs. Jeune comme toi, et alors étranger comme toi au Monténègre, j'y vins chercher un asile, et la même bienveillance m'accueillit parmi ces pasteurs dont je craignais aussi d'être repoussé. Va, continua-t-il avec une sorte d'autorité, prends possession des terres que je t'ai montrées. Elles n'appartenaient à aucun homme en particulier, mais au premier venu, et nous n'en sommes pas au point d'être obligés de réprimer l'excès d'une population embarrassante. Cent familles occupent ici un territoire qui suffirait à un peuple. Les enfants de tes enfants y croîtront sans être à charge à leurs voisins et sans souffrir de l'aspect de la misère. Adieu, me dit-il. Travaille, prie, et jouis de la paix de ton cœur.

Je restai seul, heureux du sentiment de ma liberté, et maître d'un sol fertile qui demandait à peine quelques travaux que leur facilité et leur succès changeaient toujours en plaisir. Mon domaine sauvage était arrosé par les eaux d'un ruisseau abondant qui, de temps en temps grossi par les orages, tombait en cascade du sommet de mes rochers et allait baigner au loin des vergers trop riches pour mes besoins, mais dont les fruits attiraient des familles innombrables d'oiseaux voyageurs. Je jouissais avec délices du plaisir de prémunir ces hôtes passagers de mes jardins contre les vicissitudes imprévues des saisons ; heureux quand je ravissais l'abeille même, l'abeille saisie tout-à-coup par une brise du soir, à l'action mortelle du froid, et quand je la rapportais, réchauffée par mon souffle, au creux de la roche solitaire où elle avait coutume de trouver son abri. Je vécus ainsi deux ans sans communiquer avec personne. J'en avais dix-huit alors, et l'habitude d'une vie agreste avait développé mes forces de manière à m'étonner moi-même.

J'étais heureux, je le répète, heureux parce que j'étais libre, parce que j'étais sûr de l'être, et je ne connais rien de plus propre à remplir le cœur de l'homme d'émotions délicieuses que cette pensée dont il jouit si rarement. Comme tout m'enchantait, comme tout me mettait hors de moi dans la contemplation de la nature ! souvent cependant j'étais tourmenté par un besoin inconcevable d'être aimé, et par la persuasion désolante que jamais une femme de mon choix ne viendrait dans ces déserts s'associer à mon sort. J'éprouvais alors que le sentiment le plus tendre peut se changer en fureur dans un cœur passionné. J'accablais le monde qui possédait ce trésor inconnu de toute la haine que j'aurais portée à un rival heureux. Je rêvais avec dépit, avec une jalouse colère, à ces jeunes filles éblouies des atours de la mode et des flatteries de quelques adorateurs efféminés, qui avaient laissé tomber sur moi un regard dédaigneux à cause de mon obscurité ou de ma trop grande jeunesse. Je sentais avec une sorte de rage qu'il serait doux de les détromper un jour des préventions de leur vanité, en versant du sang sous leurs yeux ou en les effrayant de la clarté d'un incendie… Pardonnez, Antonia, au délire d'une folle jeunesse abandonnée à ses passions.

Je cherchais à dessein les ours de la montagne pour les attaquer avec un pieu qui était la seule arme dont je fusse pourvu, et je regrettais que ces femmes ne fussent pas obligées de venir se réfugier, frémissantes de terreur, sous la protection de mon bras, car je les voyais partout. Je ne fréquentais point d'ailleurs les autres bergers mérédites, qui ne se fréquentaient presque pas entre eux ; mais j'en étais connu par quelque courage et par une grande force physique que le hasard m'avait fait quelquefois essayer sous leurs yeux.

La bizarrerie de mon apparition, l'isolement absolu dans lequel je vivais, et dont aucune circonstance ne m'avait fait sortir, ce qu'on rapportait surtout de ma vigueur et de mon audace, m'avaient acquis ce crédit populaire que les sauvages accordent à l'extraordinaire comme les hommes civilisés.

Un jour les montagnes Clémentines furent investies par des troupes étrangères. Quelques détachements aventureux vinrent y mourir. Ils étaient soutenus par une armée qui ne tenta pas de les suivre, mais qui menaça quelque temps nos solitudes. Le bocage du plateau inférieur où j'habitais est à peu près inaccessible. Qu'y viendrait chercher d'ailleurs la cupidité des peuples voisins ? Mais beaucoup de nos frères de l'extérieur étaient morts ; nous nous levâmes pour les remplacer. Le hasard de la bataille me livra prisonnier à nos ennemis, en dépit de ma résolution. J'avais tout fait pour mourir, car la vie me lassait ; mais je perdis la connaissance avec le sang, et on m'entraîna au loin. Cela serait fort long et fort inutile à raconter.

Ce que ma vie est devenue depuis, c'est un autre mystère qu'il faudra peut-être expliquer. Mais combien de fois le souvenir de cet asile inviolable et délicieux, que je me suis acquis dans une société nouvelle, hors des pouvoirs et des lois de la terre, a fait palpiter mon sein ! Combien de fois j'aurais tout quitté pour en reprendre possession, si l'ascendant d'un sentiment invincible ne m'avait pas retenu !

- Depuis longtemps ? dit Antonia.

- Depuis que je vous ai vue, reprit froidement Lothario ; - et si mon cœur, moins téméraire dans ses sentiments, s'était attaché à quelque femme isolée comme moi au milieu du monde, qui eût pu comprendre et envier le bonheur de mes bocages ? - C'était le rêve de la jeunesse !

- Il me semble, Lothario, dit madame Alberti, que vous créez des chimères pour les combattre. Je n'ai point examiné, je n'ai pas même entrepris d'approfondir le secret étrange qui vous fait renoncer de si bonne heure à tous les avantages que vos heureuses qualités vous donnaient lieu d'espérer dans le monde ; mais mon existence est liée sans condition à l'existence de ma sœur, et je sais déjà qu'elle est prête à se soumettre aux caprices sauvages de votre philosophie, jusqu'à ce qu'il vous plaise de revenir à un genre de vie plus digne d'elle et de vous. Elle seule a le droit de me désavouer.

- Allons aux montagnes Clémentines, dit Antonia en se jetant dans les bras de sa sœur.

– Aux montagnes Clémentines ! s'écria Lothario, Antonia y serait venue ! elle m'y aurait suivi, et la privation d'un tel bonheur ne suffirait pas à mon châtiment éternel !

La porte s'ouvrit aux visites ordinaires.

Un poids de glace tomba sur le cœur d'Antonia. Lothario s'approcha d'elle doucement ; et couvrant ses transports d'une apparence froide et polie :

– Aux montagnes Clémentines ! répéta-t-il à voix basse. Antonia y serait venue ?

Antonia chercha les yeux de sa sœur.

– Partout, dit-elle, en la montrant, partout avec elle – et avec Lothario.

– Laissez-moi rêver, reprit-il, au bonheur qui m'est réservé ou à celui que j'ai perdu. Je ne suis pas assez calme pour voir distinctement mon avenir. – Demain… ou jamais !

Lothario était sorti dans le plus grand trouble ; le cœur d'Antonia n'était pas plus tranquille. Son inquiétude était devenue une affreuse perplexité. Deux heures après Matteo entra, et présenta une lettre à Antonia, qui la remit à madame Alberti. Elles étaient seules. Ce billet était conçu en ces termes :

« Jamais, Antonia, jamais ! Ne m'accusez pas ; oubliez-moi… après m'avoir pleuré un moment. Je renonce à tout, au seul bonheur que mon misérable cœur ait jamais compris. Je vais chercher la mort qui m'a trop longtemps épargné. Ô mon Antonia ! si ce monde auquel tu crois peut s'ouvrir un jour à la voix du repentir ; si, parmi les enfants de Dieu, il n'y en a point qui soit déshérité d'avance, je te reverrai. – Te revoir ! hélas ! jamais, Antonia, jamais !

« Lothario. »

Madame Alberti avait lu ces lignes d'une voix tremblante, et sans oser lever les yeux sur sa sœur. Quand elle regarda Antonia, elle fut effrayée de sa pâleur et de son immobilité. Un coup terrible venait d'être porté à ce faible cœur, et madame Alberti conçut que ce coup était irréparable.

Le départ de Lothario fut le jour même connu dans Venise ; et, suivant l'usage, il y fit naître une foule de conjectures diverses, plus étranges les unes que les autres. Lorsque Antonia fut en état d'y réfléchir, elle n'y vit qu'une énigme affreuse, dont elle ne pouvait chercher le mot sans sentir son cœur défaillir et sa raison s'égarer. Une seule fois, elle crut un moment pouvoir en saisir le mystère. Depuis le jour où Lothario avait dit à Antonia son dernier adieu, *demain ou jamais*, on avait évité de la laisser rentrer dans cet appartement, qui ne lui rappelait que des pensées cruelles et de mortels regrets. Comme elle était parvenue à s'y introduire sans témoins, et qu'elle regardait, pensive, la place où il l'avait quittée, elle aperçut, au pied du siège sur lequel elle était assise, de petites tablettes de cuir de Russie, garnies d'une agrafe d'acier dont le ressort était brisé. Elle s'en saisit ; et pensant qu'elles pouvaient contenir l'explication dont elle avait besoin, que peut-être même Lothario ne les avait pas abandonnées sans dessein dans cet endroit, elle les ouvrit avec empressement, et y promena rapidement ses regards. Elles ne renfermaient qu'une douzaine de pages éparses, tracées tantôt avec un crayon, tantôt avec une plume, suivant les circonstances où les idées s'étaient présentées à l'imagination de Lothario.

Deux ou trois de ces ligues étaient écrites avec du sang.

Elles offraient peu de liaison entre elles ; mais presque toutes étaient inspirées par ce fatal esprit de paradoxe, par cette misanthropie sauvage et exaltée qui dominait dans ses discours.

Trop préoccupée par les sentiments qui remplissaient son cœur pour s'attacher à leur sens, et pour y voir autre chose que ce qu'elles offraient en effet de plus remarquable, des images singulières, des pensées rêveuses, des traits d'une énergie sombre, mais rien qui pût dissiper ses doutes ou les fixer, Antonia referma les tablettes de Lothario, et les cacha dans son sein, sans les communiquer à madame Alberti.

XIII

Ne cherchons pas à débrouiller pourquoi l'innocent gémit, tandis que le crime est revêtu de la robe d'honneur. Le jour des vengeances, le jour de la rétribution éternelle peut seul nous dévoiler le secret du juge et de la victime.

Hervey.

TABLETTES DE LOTHARIO.

– Le mont Taurus élevait son front par-dessus toutes les collines ; une d'elles lui dit : Je ne suis qu'une colline, mais je renferme un volcan. –

– La SOCIÉTÉ, c'est-à-dire une poignée de patriciens, de publicains et d'augures, et de l'autre côté, le genre humain tout entier dans ses langes et dans ses lisières… –

– Les législateurs du dix-huitième siècle ressemblent aux architectes de Lycérus, qui emportaient dans les airs les matériaux d'un palais, et qui ne s'occupaient pas des fondements. –

– Les peuples usés demandent à être gouvernés. Les peuples dépravés ont besoin d'être soumis. La liberté est un aliment généreux qui ne convient qu'à une saine et robuste adolescence. –

– Quand la politique est devenue une science de mots, tout est perdu. Il y a quelque chose de plus vil au monde que l'esclave d'un tyran : c'est la dupe d'un sophisme. –

- Il est inconcevable que les hommes s'égorgent pour leurs droits, et que ces prétendus droits de l'homme ne soient que des mots mystiques interprétés par des avocats. Pourquoi ne parle-t-on jamais à l'homme du premier des droits de l'homme, de son droit à une part de terre déterminée dans la proportion de l'individu au territoire ? -

- Quelle est cette loi qui porte les emblèmes et le nom de l'égalité à son frontispice ? Est-ce la loi agraire ? - Non, c'est le contrat de vente d'une nation livrée aux riches par des intrigants et des factieux qui veulent devenir riches. -

- Un homme flatte le peuple. Il lui promet de le servir. Il est arrivé au pouvoir. On croit qu'il va demander le partage des biens. Ce n'est pas cela. Il acquiert des biens, et il s'associe avec les tyrans pour le partage du peuple. -

- Le mot sacré des Hébreux, c'est l'or. Il y a une manière de le prononcer à l'oreille des juges de la terre qui fait tomber votre ennemi roide mort. -

- Lycurgue pensa une chose étrange : c'est que le vol était la seule institution qui pût maintenir l'équilibre social. -

- N'es-tu pas las, jeune homme, de moissonner les jardins de Tantale ? Ouvre les yeux sur les maux de l'humanité ; regarde. Le gouffre de Curtius est encore ouvert, et il faut que beaucoup s'y précipitent pour le salut du monde. -

- L'aumône est une restitution partielle, faite à l'amiable. Le mendiant transige ; plaidons. -

- Tirez un homme du fond des bois, et montrez-lui la société ; il sera bientôt corrompu et méprisable comme vous, mais il ne comprendra jamais l'aréopage impassible qui envoie froidement un mendiant à la potence pour avoir décimé le banquet d'un millionnaire. -

- C'est une question difficile à décider que de savoir ce qu'il y a de plus hideux dans la vie sociale du délit ou de la loi, ce qu'il y a de plus cruel du coupable ou du juge, du crime ou du châtiment. Les opinions sont fort partagées. -

- Tuer un homme dans le paroxysme d'une passion, cela se comprend.

Le faire tuer par un autre en place publique, dans le calme d'une méditation sérieuse et sous le prétexte d'un ministère honorable, cela ne se comprend pas. -

- Une chose effrayante à penser, c'est que l'égalité, qui est l'objet de tous nos vœux et de toutes nos révolutions, ne se trouve réellement que dans deux états de l'homme, l'esclavage et la mort. -

- De voir les peuples se débattre autour d'une idée comme des fourmis pour un brin de paille, il y a de quoi mourir de confusion. Un brin de paille, au moins c'est quelque chose, et une idée, ce n'est rien. -

- Le vol du pauvre sur le riche, si on remontait à l'origine des choses, ne serait, en dernière analyse, qu'une réparation, c'est-à-dire le déplacement juste et réciproque d'une pièce de monnaie ou d'un morceau de pain qui retourne des mains du voleur dans les mains du volé. -

– La plus haute portée de liberté à laquelle puisse parvenir une nation qui s'avise de sa souveraineté, c'est le droit de choisir un esclavage à son goût. –

– Il y a un grand obstacle à l'affranchissement des villes : ce sont les villes. –

– Montrez-moi une ville, une ruche ou une fourmilière, et je vous montrerai l'esclavage ; le lion et l'aigle seuls sont rois, parce qu'ils sont solitaires. –

– La méchanceté est une maladie sociale. L'homme naturel n'est pas plus malfaisant qu'une autre brute. L'homme civilisé fait horreur ou pitié. Comptez les étages d'une maison, et rappelez-vous la parabole de Babel. –

– Si j'avais le pacte social à ma disposition, je n'y changerais rien ; je le déchirerais. –

– Le fruit de l'arbre de la science du bien et du mal, c'est la société. La première fois que l'homme s'est enveloppé d'une ceinture de feuillages, il a revêtu l'esclavage et la mort. –

– Il y a deux instincts très opposés dans l'homme simple : l'instinct de conservation pour lui et pour ce qui procède de lui ; l'instinct de destruction pour tout ce qui lui est appris et commandé. La société est donc fausse. –

- Toutes les œuvres de Dieu sont accomplies dans leur destination et dans leur fin. Si la société était entrée dans le but de la création, l'alouette ne conduirait jamais ses petits dans un champ de blé mûr et prêt pour la moisson. -

- Il y a peu d'hommes dont le cœur ne tressaille d'indignation et de douleur à l'aspect d'un fier lion garrotté dans une cage de fer, et léchant avec humilité la main sanglante du boucher qui le nourrit. Que doit penser l'homme qui regarde l'homme ! -

- Pour rendre l'inégalité politique moins outrageante, presque tous les peuples qui ne l'ont pas fait reposer sur des avantages moraux en ont du moins rattaché l'origine à des souvenirs généreux ou à des traditions sacrées. Il ne s'est pas trouvé encore de législation assez dépravée pour avouer dans ses institutions l'aristocratie de l'argent. Quand nous en serons là, il fera beau vivre, car tout finira. -

- Il est bien humiliant pour l'espèce que les esclaves ne soient en minorité nulle part dans une société humaine. Que faut-il donc pour changer une mauvaise place contre une bonne, quand on a la force et le nombre ? -

- Rien de plus facile que de persuader à l'homme qu'il dépend de l'homme en vertu d'un droit mystérieux fondé sur un titre inconnu. Mais comment lui faire comprendre ce qui est vrai, que sa dépendance résulte purement et simplement de l'inégalité d'un ancien partage du sol, qui n'a changé ni de forme ni d'étendue, et qui peut tous les jours être remis en litige ? -

- La ruche de l'abeille n'appartient pas au frelon, mais les fleurs des champs appartiennent à tous les insectes de l'air. La seule propriété inviolable de l'individu, c'est son industrie. -

– Est-il vrai que la plupart des souverains de l'Europe s'occupent de faire cadastrer la terre ? Soit. –

– Instituer des monarchies aujourd'hui, c'est une grande pitié.

Je n'ai pas été surpris de trouver la cellule d'un ermite à demi cachée dans la cendre du cratère ; mais qu'un roi pense à bâtir son trône au fond, je ne le lui conseille pas ! –

– Tendre pour la dernière fois l'arc de Nemrod, ce n'est pas une rare merveille, Napoléon, dix autres l'ont fait avant vous. – Passe encore pour le briser. –

– Nos feux d'artifice de Venise finissent par une gerbe de feu qui éclipserait le soleil dans son midi.

La nuit n'en est que plus profonde après cela, la nuit qui appartient aux voleurs.

Le lendemain d'une GRANDE NATION, c'est la nuit d'un feu d'artifice. –

– « Si vous réussissiez dans vos projets, disent-ils, ce serait à recommencer demain. »

Le grand mal que de recommencer demain ! nous sommes si bien aujourd'hui ! –

– Quand on a cessé de vivre en premier dans le cœur d'un autre, on est très réellement mort. Il n'y manque plus que la façon. –

- Une société qui tue un homme est bien convaincue quelle fait justice. - Immense et sublime justice rétributive que celle d'un homme qui tuerait la société ! -

- Deux crimes pour lesquels je suis sans pitié : faire du mal à qui ne peut se défendre, et voler qui a besoin.

Supplices et malédictions sur l'infâme qui a dérobé le chien d'un aveugle ! -

- Le sauvage de la mer du Sud qui donne une femme pour une hache ne fait pas un mauvais marché. Quel est le pays où l'on n'aurait pas une femme avec une hache ? -

- Il y a au fond du cœur de l'homme trois erreurs ou trois mystères qui le décident à vivre : Dieu, l'amour et la liberté. - Et il y a bientôt deux mille ans que la société n'existerait plus, si quelques mendiants de Galilée ne s'étaient avisés de faire une religion avec cela.

Combien connaissez-vous de spéculateurs qui placeraient sur la durée probable de cette dernière institution du monde politique un sequin en viager ? -

- Je voudrais bien qu'on me montrât dans l'histoire une monarchie qui n'ait pas été fondée par un voleur. -

- Quand les nations arrivent à leur dernier période, il n'y a plus entre elles qu'un cri de ralliement : TOUT EST À TOUS.

Et le jour où l'étendard qui portera cette devise sera mouillé des pleurs d'un enfant, je l'arracherai pour m'en faire un linceul. -

- L'histoire des peuples anciens n'est pas difficile à raconter ; l'histoire des peuples à venir n'est pas difficile à prévoir. - Les pères, les vieillards, les sages, les prêtres, les soldats, les rois. - Et puis après... les peuples peut-être ?... -

- Il n'y a que trois manières de lier sa mémoire à celle du temple de Delphes. Il faut le bâtir, le consacrer ou y mettre le feu. -

- Donnez-moi une force qui ose prendre le nom de loi, et je vous montrerai un vol qui prendra le nom de propriété. -

- La liberté n'est pas un trésor si rare : elle est dans la main de tous les forts et dans la bourse de tous les riches. -

- Tu es maître de mon argent, et je le suis de ta vie. Cela ne nous appartient, ni à toi, ni à moi. Rends, et je laisse. -

- Mille fortunes pour une pensée ! mille pensées pour un sentiment ! mille sentiments pour une action ! mille actions sublimes pour un cheveu ! – et le monde, et l'avenir, et l'éternité avec tout cela ! –

– Le fondateur d'une secte nouvelle, pauvre homme ! l'enlumineur d'une vieille morale, pauvre homme ! un législateur, pauvre homme ! – Un conquérant, quelle misère ! –

– S'il y a une bonne société au monde, c'est celle où l'on partage tout, en donnant une prime au plus fort.

– Quand la ruse et la trahison s'en mêlent, il arrive une législation. –

– Je ne sais plus qu'un métier à décréditer, celui de DIEU. –

– On m'a demandé quelquefois si j'aimais les enfants. Je le crois bien. Ils ne sont pas encore hommes. –

– Toutes les voix de la terre annoncèrent une fois que le grand Pan était mort. Ce fut l'émancipation des esclaves. Quand vous les entendrez une seconde fois, ce sera l'émancipation des pauvres, – et alors l'usurpation du monde recommencera. –

– De tous les gouvernements, celui qui révolte le moins mon cœur, celui qui dégrade le moins l'humanité, c'est le despotisme de l'Orient, où l'abaissement des peuples est au moins expliqué par des superstitions. Je conçois un tyran qui descend des prophètes et qui est allié des astres. Au Tibet, il est invisible, immortel, sacré. Cela est bien, cela ne devrait jamais être différemment. La tyrannie et l'esclavage sont deux états qui impliquent deux espèces. Les plus avilis des hommes, ce sont les esclaves qui reconnaissent des tyrans faits à leur image. -

- On a bien des grâces à rendre à son étoile quand on peut quitter les hommes sans être obligé de leur faire du mal et de se déclarer leur ennemi. -

- Quelle différence y a-t-il entre un crime et une action héroïque, entre un supplice et une apothéose ? Le lieu, le temps, la méprisable opinion d'une foule stupide qui ne connaît pas le véritable nom des choses, et qui applique au hasard ceux que l'usage lui a appris. -

- Les fléaux sont dans l'ordre de la nature, et les lois n'y sont pas. -

- C'était une idée moins appropriée à la Divinité, telle que je la conçois, mais qui avait quelque chose de consolant pour l'homme, que de donner des infirmités aux dieux. J'aime qu'Apollon soit banni, que Cérès souffre de la faim chez la mère de Stellion, que Vénus soit blessée par Diomède, que le berceau d'Hercule soit entouré de serpents comme celui du génie, et qu'il meure lui-même dévoré par cette robe de Nessus qu'il a léguée à ses successeurs. -

– Si mon cœur pouvait se donner la foi,… si j'avais un dieu à *inventer*, je voudrais qu'il fût né sur la paille d'une étable ; qu'il n'eût échappé aux assassins que dans les bras d'un pauvre artisan qui aurait passé pour son père ; que son enfance se fût écoulée dans la misère et dans l'exil ; qu'il eût été proscrit toute sa vie, méprisé des grands, inconnu des rois, persécuté par les prêtres, renié par ses amis, vendu par un de ses disciples, abandonné par le plus intègre de ses juges, dévoué au supplice de préférence au dernier des scélérats, fouetté de verges, couronné d'épines, outragé par les bourreaux, et qu'il eût péri entre deux voleurs, dont l'un le suivît dans le ciel. –

– Dieu tout-puissant, ayez pitié de moi ! –

XIV

C'est moi qui conduis au séjour des gémissements, c'est moi qui conduis dans l'éternelle douleur, c'est moi qui conduis au milieu du peuple réprouvé des rebelles. Laissez toute espérance, vous qui entrez.

Dante.

Depuis le départ de Lothario, la mélancolie d'Antonia avait fait de rapides progrès. Elle était tombée dans un abattement d'autant plus effrayant qu'elle semblait en ignorer elle-même ou en avoir oublié la cause. Sa tristesse n'avait rien de déterminé ; c'était un malaise vague duquel on la tirait avec une distraction vive, mais où elle rentrait plus vite qu'elle n'en était sortie. Il lui arrivait souvent de sourire, et quelquefois même sans motif ; alors sa gaieté faisait peine à voir, parce que l'expression de sa physionomie paraissait ne pas bien s'accorder avec l'état de son cœur. Jamais elle n'avait cherché avec plus de soin les promenades solitaires. Presque tous les lieux qu'elle fréquentait lui rappelaient Lothario, mais elle ne le nommait jamais. Elle évitait les conversations où son souvenir pouvait se mêler ; on aurait cru qu'elle cherchait à se persuader qu'il n'avait pas existé pour elle, et qu'il n'était dans sa vie que l'illusion d'un rêve ou d'un accès de délire. Elle s'occupait souvent au contraire de son père et de sa mère, qu'elle n'avait pas nommés depuis longtemps, et elle en parlait, contre son usage, sans répandre des larmes, comme si elle n'en avait été séparée que par un court espace de chemin, et qu'elle dût bientôt les rejoindre.

Madame Alberti regarda cette circonstance comme quelque chose d'heureux dans la situation d'Antonia. Elle pensa que ses souvenirs se détruiraient plus facilement les uns par les autres, et qu'il lui serait plus aisé d'oublier les contrariétés d'un sentiment dont elle était encore loin de connaître toute la puissance, auprès du tombeau de ses parents. Elle résolut donc de reconduire Antonia à Trieste, et Antonia reçut cette proposition avec un témoignage de satisfaction froide, le seul que ses traits mornes et ses yeux fixes pussent imparfaitement manifester. Au reste, madame Alberti n'avait pas renoncé pour elle à toute espérance. Elle était bien persuadée, au contraire, et il n'y avait à la vérité rien de plus probable, que l'étrange procédé de Lothario n'était qu'un nouvel effet de la bizarrerie de son caractère ou de l'embarras de sa position, et qu'il ne tarderait pas à revenir aux pieds d'Antonia réclamer les droits qu'elle lui avait donnés à un bonheur qui semblait passer toutes ses espérances.

Il était possible que les raisons qui rendaient nécessaire ce mystère singulier dont il enveloppait ses actions l'empêchassent alors de former un nœud qui, en fixant tout-à-fait son existence, le soumettrait de trop près et par trop de points à la curiosité des hommes, et le soustrairait à ce vague de conjectures dont l'incertitude ne lui était sans douté pas inutile.

Dans l'état de l'Europe, combien d'hommes éminents étaient forcés, comme Lothario, à cacher leur nom à travers vingt pays différents, et à se dérober comme lui aux affections les plus profondes, aux devoirs les plus doux de la nature, pour conserver leur sécurité, et surtout pour ne pas compromettre celle des personnes qui leur étaient chères !

Telle était évidemment la situation de Lothario, et il fallait bien qu'elle changeât un jour. Il aurait été absurde de chercher à sa conduite une autre explication. On pouvait même penser que s'il avait redouté, avec de justes motifs, de trop prolonger son séjour dans une grande capitale où il était déjà très connu, il ne manquerait pas de se diriger du côté de Trieste, quand il aurait appris qu'Antonia y était de retour.

Ces suppositions avaient beaucoup de vraisemblance, et Antonia ne les repoussait point ; seulement elle ne répondait rien, et regardait sa sœur d'un œil défiant quand il en était question ; puis elle se jetait dans ses bras.

Les affaires qui les avaient appelées à Venise ne les retenant plus, elles en partirent sur un bateau qui se rendait à Trieste par les lagunes. Cette manière de voyager leur avait paru préférable à toute autre, parce qu'elle leur faisait éviter les routes infestées par la troupe de Jean Sbogar, et surtout le passage dangereux où elles avaient failli devenir ses prisonnières.

Les canaux des lagunes offrent peu d'intérêt au voyageur. Tracés par la nature entre des portions de terre désertes et arides que la mer envahit et abandonne tour à tour, et qui ne peuvent offrir d'asile qu'aux troupes errantes des oiseaux de rivage, rien ne varie, rien n'anime leur triste monotonie. Ils ne présentent partout aux regards que des grèves stériles ou des forêts de roseaux, d'où s'élève quelquefois avez un long cri le héron surpris dans son sommeil par le bruit des mariniers et des passagers.

Antonia, pensive, n'avait encore été distraite par aucune circonstance digne de l'occuper, quand la nuit tomba et vint prêter à tous les objets un caractère plus calme et plus doux. Le ciel était parsemé d'étoiles brillantes, mais la lune lui refusait sa lumière. On ne distinguait plus rien hors de la barque, et le balancement alternatif des rameurs s'y faisait à peine apercevoir. On n'entendait que la chute cadencée de leurs rames et le sifflement de l'eau divisée par la proue. Tout-à-coup l'homme placé au gouvernail rompit le silence de la nature en chantant, d'une voix qui n'était pas sans agrément, quelques strophes du Tasse où sont peintes en vers harmonieux les délices de la solitude entre deux amants également épris. Ses accents, que rien ne réfléchissait dans l'immensité de l'air et du ciel, et qui s'étendaient sans obstacle sur la surface unie de la mer, faisaient participer l'âme à la jouissance de cet infini dans lequel ils allaient mourir. Antonia les écoutait avec un sentiment dont la douceur l'étonna, et qu'un moment auparavant elle n'aurait pas cru pouvoir goûter encore. Elle ne savait à quoi attribuer la confiance qui remplissait son cœur, et qui en calmait tous les orages. Ce n'était pas l'illusion vive et tumultueuse des premières espérances, c'était la jouissance reposée d'un avenir pur. Il lui semblait que ces intelligences tutélaires qui veillent sur les derniers moments de l'innocence, et qui viennent lui ouvrir le séjour de l'éternel repos, devaient manifester ainsi leur présence.

Madame Alberti éprouvait la même émotion. Sa main s'était unie à celle d'Antonia, elles s'étaient penchées l'une contre l'autre, et leurs cœurs battaient d'un mouvement régulier et doux. Plongées dans une langueur que l'extrême tranquillité de l'air et l'ondulation presque insensible des eaux contribuaient à entretenir, elles s'endormirent en s'embrassant.

Il y avait peu de temps que leur repos durait quand un coup de fusil, tiré à peu de distance, troubla le sommeil d'Antonia. Madame Alberti était encore appuyée contre elle, mais elle ne parla point. Antonia crut d'abord qu'elle avait rêvé ; mais l'immobilité du bateau, le silence des rames, et quelques mots étrangers qu'elle entendit dans l'entretien confus des mariniers épouvantés, la détrompèrent. Elle essaya de réveiller sa sœur sans pouvoir y parvenir. Elle voulut se lever, et se sentit saisir le bras par une main froide et nerveuse.

- C'est encore une femme, dit une voix : Jean ne sera pas content.

À ces paroles, ses cheveux se dressèrent sur son front, une sueur froide inonda ses membres, et elle perdit connaissance. Elle ne revint à elle qu'au bruit des roues d'une voiture qui la conduisait, et sous laquelle tremblaient, en grondant sourdement, les ais retentissants d'un pont-levis.

Elle était seule.

Antonia, revenue de ce premier accès d'étonnement qui donne aux malheurs inattendus l'apparence d'un songe, ne tarda pas à comprendre celui-ci. Il était hors de doute que c'étaient des bandits apostés sur le bord de la mer qui avaient arrêté le bateau, et ces bandits ne pouvaient appartenir qu'à la troupe de Jean Sbogar. Descendue de la voiture, et soutenue par deux hommes dont le vêtement bizarre et la physionomie féroce la remplissaient d'effroi toutes les fois que les lumières éparses sous les voûtes venaient à les éclairer, elle parcourait les vastes galeries, les escaliers immenses, les salles gothiques du château, en se confirmant de plus en plus dans l'horrible idée qu'elle était prisonnière à Duino.

Arrivée à une chambre qui paraissait lui être destinée, et où son affreuse escorte la laissa libre un moment, elle s'élança vers une croisée ouverte, et ne vit devant elle que la mer. Une lueur lointaine, qui lui parut être celle du phare d'Aquilée, brillait seule au milieu des astres nocturnes. Elle ne douta plus de son sort, et tomba navrée de douleur sur un fauteuil.

- À Duino ! s'écria-t-elle : - Jean Sbogar ! - Mais qu'a-t-on fait de ma sœur ?

Les voûtes sonores répondirent seules à ses cris.

Le dernier mot qu'elle avait prononcé expira dans leurs profondeurs, comme une voix faible qui s'éteint. Antonia se leva épouvantée en répétant : Ma sœur !... du ton d'une personne affligée d'un songe pénible, et qui cherche à se réveiller.

L'illusion de l'écho se renouvela plus sinistre encore. Elle ressemblait au dernier gémissement d'une mort violente. La malheureuse Antonia, presque incapable de se soutenir, s'appuya contre un des grands pilastres de la porte d'entrée, sous un réverbère qui répandait sur elle toute sa clarté. Elle embrassa en tremblant la colonne froide, y colla son visage à demi-recouvert de ses cheveux flottants, et se sentit fléchir sous le poids de sa terreur. Quelques hommes groupés dans le corridor paraissaient la regarder de loin ; mais la faiblesse de sa vue ne lui laissait distinguer, dans l'ombre où ils étaient cachés, que le mouvement de leurs panaches, et elle n'était pas bien sûre de ne pas s'abuser, quand un cri terrible frappa son oreille.

Un de ces hommes s'était enfui en la nommant.

La nuit était fort avancée, lorsque Antonia céda pour la seconde fois à ces cruelles émotions. Ce ne fut que bien des heures après qu'on put là rendre entièrement à elle-même. Elle s'étonna, en regardant autour d'elle, de la délicatesse des soins dont elle était l'objet. On l'avait transportée dans une chambre plus commode et plus ornée. Il n'y avait pas de femmes dans le château, mais elle était servie par des enfants d'une figure agréable.

Un seul des brigands sollicita, vers la fin du jour, la permission d'être introduit près d'elle pour s'acquitter des ordres dont son capitaine l'avait chargé. C'était un très jeune homme, dont la physionomie triste, mais douce et modeste, aurait inspiré dans tout autre lieu la confiance et l'intérêt. Il venait apprendre à Antonia que son bateau n'avait été attaqué que par la méprise la plus funeste ; que rien de ce qu'elle possédait ne lui serait enlevé ; qu'elle-même était libre à Duino, qu'elle n'avait pas cessé de l'être ; que tout était disposé pour son voyage, et qu'il dépendait d'elle seule de le hâter ou de le retarder, suivant que sa santé l'exigerait ; qu'en attendant, enfin, elle pouvait commander en souveraine à tout ce qui habitait dans le château.

- Mais ma sœur ! s'écria Antonia.

- Votre sœur, madame, répondit le jeune homme en baissant les yeux, ne peut vous être rendue. C'est la seule réserve que nous soyons obligés de mettre à notre obéissance, et cette condition même n'est pas imposée par une force qui dépende de nous.

- Et qui a pu l'imposer ? reprit vivement Antonia. Qui empêcherait que je me réunisse à ma sœur, qui a été arrêtée, enlevée, conduite ici avec moi ? Ah ! je ne veux aucun des avantages, aucune des réparations que vous m'offrez, si je ne les partage avec elle.

- Madame, dit le jeune homme en s'inclinant, je n'ai pas reçu d'autres instructions.

Et il se retira sans attendre de nouvelles instances.

Le nom de madame Alberti errait encore sur les lèvres d'Antonia interdite ; il ne fut pas entendu.

La perplexité dans laquelle elle resta plongée est plus facile à comprendre qu'à décrire. Elle commençait à espérer que cet événement n'aurait pas les suites affreuses qu'il lui avait fait craindre ; mais elle ne devinait pas les motifs qu'on pouvait avoir de la tenir éloignée de sa sœur, et ce nouveau mystère était un abîme où son esprit s'égarait. Tout lui persuadait d'ailleurs qu'on ne l'avait pas trompée par de fausses promesses. Le soleil était couché depuis plusieurs heures, et ses portes restaient ouvertes. Les gens employés à la servir s'étaient retirés d'eux-mêmes pour lui laisser une liberté entière, en lui indiquant la partie de son appartement qu'ils allaient occuper et où ils attendaient ses ordres. Enfin il ne paraissait pas un soldat dans la vaste étendue des corridors qu'on avait éclairés comme pour lui offrir un passage, à quelque moment qu'elle prît la résolution de sortir.

Rassurée par tout ce qu'elle remarquait, elle n'hésita pas à s'engager dans la galerie qui aboutissait à sa chambre et à suivre ses détours jusqu'au grand escalier du château. Elle descendit sans obstacles, parcourut avec la même facilité le vestibule et les cours, et parvint au pont-levis sans rencontrer personne. Il se baissa à son approche, comme si une puissance magique avait interprété le vœu d'Antonia, et s'était empressée d'y obéir. À peine l'eut-elle laissé derrière elle, qu'elle aperçut une voiture de voyage prête à partir, et gardée par des domestiques. Elle crut même reconnaître qu'elle était chargée des bagages qui avaient été pris avec elle sur le bateau, et l'empressement du postillon, à son approche, lui donna lieu de croire qu'elle était attendue. Elle s'informa cependant de la destination de cette voiture.

- Apparemment pour Trieste, répondit un des domestiques ; mais pour tel lieu qu'il plaira à la signora Antonia de Monteleone.

- C'est moi, reprit Antonia.

- Nous n'en doutions pas, dit le postillon ; il n'y a pas d'autre femme dans ce château, et nous sommes prêts à vous obéir.

- Il y a une autre femme dans ce château, s'écria Antonia... Ma sœur est dans ce château... Ne vous a-t-on pas prévenus que je serais accompagnée de ma sœur ?

- On n'a parlé que de la signora, dit-il en secouant tristement la tête, et il n'y a pas d'apparence que sa sœur puisse sortir du château, si ce n'est pas l'intention du propriétaire. Mais madame ne connaît peut-être pas le propriétaire du château de Duino. Captive depuis si peu de ternes...

- Pardonnez-moi, répondit Antonia, je sais où je suis. Il est cependant incompréhensible que ma sœur ne soit pas ici.

Le pont-levis était encore baissé. Le château n'était gardé que par les vigies de ses tours. Antonia jeta les yeux dans l'intérieur, et pensa que sa sœur y était prisonnière.

- Je resterai, dit-elle d'une voix forte, je ne partirai pas sans elle, et sa destinée sera la mienne.

En prononçant ces paroles, elle avait rapidement parcouru une partie de l'espace qui la séparait du grand escalier. Elle se retourna pour voir si elle n'était pas suivie. Le pont-levis se relevait. À cet aspect son courage faiblit ; il lui sembla que tout finissait, et qu'elle venait d'élever entre elle et le monde une barrière qu'elle ne franchirait plus. Elle aurait voulu se voir transportée tout-à-coup au milieu d'une forêt sauvage, à la merci des animaux les plus féroces, pendant une des nuits les plus âpres de l'hiver, mais encore libre et maîtresse d'elle-même ; les murs du château pesaient sur elle, sur l'air qu'elle respirait, et son cœur comprimé était près d'éclater dans son sein. Elle s'approcha de la balustrade pour s'appuyer et pour reprendre haleine. Ses yeux étaient tournés vers un soupirail d'où sortait une faible lumière qui venait trembler à ses pieds. Au bout de quelques instants d'attention vague et involontaire, elle crut saisir des bruits singuliers qui sortaient aussi des souterrains du château, et qui rappelaient à son esprit la solennité de certains chants religieux. Elle jugea d'abord que ce devait être le mugissement de la mer qui se brise au pied de la montagne ; mais ces bruits n'arrivaient à elle que par intervalles, quelquefois même ils paraissaient tout-à-fait arrêtés, et Antonia se rapprochait à pas mesurés du soupirail avec une curiosité inquiète. Ils la frappèrent enfin plus directement, au point qu'elle s'imaginait y discerner des sons articulés et le nom même de sa sœur. Persuadée que la préoccupation de son esprit pouvait avoir produit cette illusion, elle s'agenouilla sur le bord du soupirail ; et, retenant sa respiration pour ne pas perdre le moindre bruit qui agitait l'air, elle l'entendit encore.

– Ma sœur est là, dit-elle à haute voix, incapable de modérer le sentiment qui absorbait toutes ses idées, qui pénétrait tous ses sens d'un mélange inconcevable de joie et de terreur.

Elle se leva précipitamment, et s'élança dans une rampe mal éclairée qui devait la conduire aux souterrains du château. Après d'innombrables détours qu'indiquaient d'espace en espace des lampes pâles cachées dans les creux de la muraille, elle ralentit sa marche, parce que le bruit qui l'avait attirée s'était rapproché de manière à ne pas lui laisser perdre un mot, mais elle n'entendit plus le nom de madame Alberti. C'était seulement, comme elle l'avait présumé, un chant semblable aux chants de l'église, qui était entonné par une seule voix et répété en chœur. Bientôt elle arriva au lieu même de la cérémonie ; et, transie de frayeur, elle se glissa comme un spectre entre les hautes colonnes qui soutenaient la voûte à une hauteur prodigieuse, cachée dans les ombres que projetaient au loin leurs bases énormes. Toutes ces colonnes chargées de faisceaux de lances, de cimeterres et d'armes à feu, formaient une espèce de forêt à travers laquelle on ne pouvait distinguer que confusément ce qui se passait au centre de cette salle souterraine.

Antonia, exaltée par son attachement pour sa sœur, s'armait de plus en plus d'une résolution jusqu'alors étrangère à son caractère. Chaque fois que les voix réunies remplissaient les échos d'un bruit prolongé qui pouvait couvrir le bruit de ses pas, elle volait d'une colonne à l'autre, et attendait, pour oser tourner ses yeux sur l'enceinte, que le silence universel qui y succédait de temps à autre, et que son aspect aurait sans doute troublé, lui prouvât qu'elle n'avait pas été aperçue.

Cependant la délicatesse de sa vue ne lui permettait de distinguer les objets que comme s'ils avaient été interceptés par un nuage, et le vague que son imagination prêtait à leurs formes incertaines augmentait la terreur de cette scène nocturne.

Du côté opposé à l'entrée du souterrain, s'élevait une longue suite d'arcades anguleuses dont les pointes se perdaient dans l'obscurité de la voûte, et qui n'étaient séparées entre elles que par d'autres groupes de colonnes minces, noircies et usées par le temps. Des tentures de deuil coupaient ces arcades à une certaine élévation, et les brigands disséminés sur le fond de cette décoration funèbre ajoutaient à sa mystérieuse horreur ; les uns, immobiles et recueillis, assis au fond des stalles creusées dans le massif des colonnes, et qu'on aurait pris pour des figures sinistres disposées par un sculpteur atrabilaire ; ceux-ci, debout autour des candélabres de fer, et attisant de leurs poignards la flamme des torches et des brasiers ; ceux-là qui se perdaient dans la nuit des portiques éloignés, et qui, à travers les ténèbres mobiles dont s'obscurcissaient et se dégageaient tour à tour leurs têtes sourcilleuses et leurs barbes touffues, ressemblaient à autant de fantômes. Parmi eux, il en était un surtout dont la singulière attitude excitait d'autant plus vivement l'attention d'Antonia, qu'elle jugea bientôt qu'il était malheureux et sensible. Son visage était enveloppé d'un crêpe qui le cachait entièrement. Agenouillé sur les premières marches d'une estrade dont le reste se dérobait à la vue d'Antonia, il était appuyé sur la poignée de son sabre et pleurait amèrement. Le bruit de ses sanglots interrompait seul la voix ferme et soutenue du prêtre qui présidait au sacrifice. Antonia, hors d'elle-même et pressée d'une curiosité invincible, fit un mouvement pour voir l'autel. C'était un lit funèbre, et sur ce lit une femme couchée, la tête soulevée sur un coussin de velours noir, et à peine défigurée par les traces récentes de la mort.

– Ma sœur ! s'écria Antonia, et elle tomba.

C'était elle en effet, car le coup de fusil tiré sur le bateau l'avait tuée, et la troupe de Jean Sbogar lui rendait les derniers honneurs.

XV

Pourquoi hérisses-tu ainsi, en me regardant, ta chevelure sanglante ? Pourquoi tournes-tu sur moi ces yeux dont la prunelle desséchée a disparu de son orbite ? Ce n'est pas moi qui t'ai tué.
Shakespeare.

Vous retrouverai-je partout, ombres des assassinés, avec vos larges plaies livides ? et vous, mères éplorées, qui me montrez ces flammes allumées par mes mains, ces flammes dont les langues horribles dévorent le berceau de vos premiers-nés ?
Schiller.

Antonia resta longtemps ensevelie dans un état qui ressemblait au sommeil. Elle ne paraissait éprouver aucune agitation, et ce calme était si profond, il devait faire place, selon toute apparence, à de si mortelles angoisses, qu'on tremblait de le voir cesser. Cependant elle revint à elle sans manifester de douleur. Tout au plus, elle semblait occupée d'une idée fâcheuse, d'un souvenir importun qu'elle essayait de chasser. Elle promenait ses regards autour d'elle avec incertitude, et passait sa main sur son front pour chercher à se rendre compte d'un doute inquiétant.

- Je sais bien, dit-elle enfin, je sais où elle est. Je la retrouverai ce soir.

Fitzer, le plus jeune des brigands, s'approcha d'elle pour s'informer de son état. Elle lui sourit comme à une personne connue, parce que c'était lui qui lui avait parlé la veille de la part de Jean Sbogar.

- Je vous attendais depuis longtemps, reprit-elle. Je voudrais savoir de quel supplice vous punissez les indiscrets qui pénètrent dans vos fêtes sans y avoir été priés. Je connais une jeune fille... Mais je vous recommande ce secret sur le salut de ce que vous aimez le mieux au monde... Promettez-moi de n'en parler jamais à personne.

Le jeune homme la regardait, les yeux mouillés de larmes, parce qu'il s'apercevait que sa raison était égarée.

– Attends, lui dit-elle du ton de la plus grande surprise, ce sont des larmes ! je croyais qu'on ne pleurait plus. Ne me cache pas tes larmes. Quant à moi, je ne puis plus en montrer. Je me souviens d'avoir vu un autre homme, c'était dans un endroit où je n'étais pas attendue, un homme qui pleurait aussi. Je pense que ce pouvait être toi, car son visage était couvert d'un voile qui m'empêchait de le connaître.

– Ses traits me sont inconnus comme à vous, répondit Fitzer. Peu d'entre nous l'ont aperçu autrement qu'à travers ce voile ou la visière de son casque. Nos vieux guerriers seuls l'ont vu à découvert dans les combats ; mais il vient très rarement à Duino, et n'y paraît que masqué depuis que nous parcourons sans danger les provinces vénitiennes. C'est notre capitaine.

– Où est-il ? reprit froidement Antonia. Il ne sait donc pas que je suis ici ?

– Il le sait, mais il n'ose se présenter devant vous, de crainte que sa présence ne vous alarme, et que vous ne lui imputiez l'erreur qui vous a rendue captive.

– Captive ! dis-tu ? Antonia est plus libre que l'air ! Cette nuit encore, je me suis promenée bien loin d'ici dans des bosquets délicieux, où je respirais un air si pur ! Je n'ai jamais vu tant de fleurs ! Ma sœur y était avec moi ; elle a voulu y rester. J'y allais plus souvent quand j'étais plus jeune ; mais je n'y suis jamais allée avec ma mère. Ma vie a bien changé depuis ce temps-là.

Antonia reposa sa tête sur sa main, et ses paupières s'abaissèrent. Son teint était animé de couleurs foncées, ses lèvres paraissaient desséchées par une fièvre brûlante. Elle riait et sanglotait.

Le destin d'Antonia était accompli. Il ne lui restait plus sur la terre d'autre protection que celle de ce redoutable amant qui lui avait si mystérieusement apparu au *Farnedo*, et qui était Jean Sbogar lui-même. L'amour de Jean Sbogar veilla sur elle avec une sollicitude et avec une pureté qui l'aurait étonnée sans doute, si le trouble de sa raison lui avait permis de réfléchir sur son état. On fit venir des chaumières de Sestiana de jeunes femmes pour la servir et pour la garder ; des médecins célèbres furent appelés ou enlevés des villes voisines pour lui donner les soins que sa maladie exigeait. Un ecclésiastique, depuis longtemps prisonnier des brigands, celui qui venait de célébrer le service funèbre de madame Alberti, dans un souterrain qu'ils avaient converti en chapelle pour cette cérémonie, épiait auprès de son lit de douleur les instants lucides que son mal lui laissait, pour lui porter les consolations du ciel. Ces hommes féroces, enfin, dont l'âme n'avait conçu jusque-là que des pensées de sang, purifiés par l'aspect de tant d'innocence et touchés de tant d'infortune, lui prodiguaient les marques de soumission les plus délicates et les plus tendres. Antonia s'accoutumait à les voir et à les entretenir des illusions bizarres qui se succédaient dans son imagination malade. Jean Sbogar, lui seul, n'osait se présenter auprès d'elle sous le voile ou le casque à visière qui dérobait ses traits, que lorsqu'elle était livrée au sommeil, ou que le délire lui était la connaissance de tous les objets, et qu'il pouvait nourrir ses regards de la douloureuse contemplation de l'objet aimé, sans s'exposer à lui inspirer de la crainte et de l'horreur. Un jour cependant, prosterné à ses pieds et incapable de contenir les sentiments qui l'oppressaient :

- Antonia ! s'écria-t-il d'une voix étouffée par les sanglots, Antonia ! chère Antonia !

Elle se retourna de son côté, et le regarda avec douceur. Il s'empressait de s'éloigner. Elle le rappela d'un signe. Il demeura, la tête penchée sur sa poitrine, dans l'attitude de l'obéissance et de l'attention.

- Antonia ! dit-elle après un moment de silence, je crois que c'est en effet mon nom, je le portais dans la maison où je suis née, et l'on me promettait alors d'être heureuse. Écoute, continua-t-elle en prenant la main du voleur, je veux te faire une confidence. Du temps de ma première jeunesse, quand je croyais qu'il était si aisé et si doux de vivre, quand mon sang ne brûlait pas mes veines, quand mes pleurs ne brûlaient pas mes joues, quand je ne voyais pas des esprits qui courent dans les halliers, qui ouvrent la terre en la frappant de leur pied, qui y creusent des abîmes plus profonds que la mer, et qui en font jaillir des sources de feu ; quand les âmes des assassins qui n'ont point d'asile dans le tombeau ne venaient pas encore autour de moi bondir et s'élancer avec des rires cruels, et qu'à mon réveil je n'étais pas obligée de détacher la vipère enlacée à mes cheveux, la vipère dont la tête écumante d'un poison bleuâtre a reposé sur mon cou... dans ce temps-là, il y avait un ange qui voyageait sur la terre avec des traits qui auraient ému le cœur d'un parricide ; mais je n'ai fait que le voir, parce que Dieu le retira quand sa félicité fut jalouse de la mienne, et je l'appelais Lothario, mon Lothario... Je me rappelle que nous avions un palais dans des montagnes bien éloignées. Jamais je n'ai pu en trouver le chemin.

Quoique le brigand n'eût pas quitté son voile, Antonia s'aperçut que ses pleurs avaient redoublé à ces derniers mots. Elle lui sourit alors avec une pitié tendre ; et, reprenant sa main qu'elle avait laissé échapper et qui n'avait osé retenir la sienne :

- Je sais, lui dit-elle, que je te fais de la peine, et je t'en demande pardon. Je n'ignore pas que tu m'aimes et que je suis ta fiancée, la fiancée de Jean Sbogar. Tu vois que je te connais et que je parle raison aujourd'hui. Il y a longtemps que notre mariage est arrangé, mais je n'ai pas voulu avoir de secret pour toi. D'ailleurs ce Lothario pourrait bien ne pas exister. J'ai vu, depuis quelques jours, tant de personnes qui n'existent que dans mon imagination et qui m'échappent quand je reviens à moi !... Je suis sûre, par exemple, que tu ne m'as pas connu de sœur ? Non, reprit-elle après avoir réfléchi un instant. Si j'avais une sœur, elle me tiendrait lieu de mère, et nous ne pourrions nous passer d'elle à la célébration de nos noces. Dis-moi si tu fais, pour ce jour-là, de brillants préparatifs ? Il le faut, car la mariée est une riche héritière. J'ai des agrafes d'or et des anneaux de diamants pour me parer ; mais je ne veux dans mes cheveux qu'une simple guirlande d'églantier. -

Elle s'interrompit de nouveau. Son égarement redoublait. Un sourire affreux à voir s'arrêta sur sa bouche.

- Ce sera une belle fête ! continua-t-elle ; tout l'enfer y sera. Le flambeau des noces de Jean Sbogar doit faire pâlir le soleil dans son midi. Vois-tu d'ici les conviés ? Tu les connais tous. Je n'ai invité personne. En voilà qui ont les membres à demi calcinés par le feu ; des vieillards, des enfants dont les lambeaux se réveillent vivants des incendies que tu as allumés, pour prendre part à tes plaisirs... En voilà d'autres qui se lèvent dans leur linceul, et qui se glissent à la table du festin en cachant des plaies sanglantes. Ô mon Dieu ! quels monstres ont tué cette jeune femme ? Pauvre Lucile ! Et de quel nom ils me saluent... Les as-tu bien entendus ?... SALUT, SALUT... Je n'oserai jamais le répéter ! SALUT, disent-ils ; et ils murmurent tous ensemble le mot de ralliement des maudits, le cri de joie que Satan aurait poussé s'il avait vaincu son créateur, la parole secrète que prononce une exécrable mère qui va égorger son enfant, pour se rendre sourde à ses gémissements. – SALUT À LA FIANCÉE DE JEAN SBOGAR ... –

En achevant ces mots, Antonia perdit connaissance. Cette crise fut longue et terrible : longtemps même on désespéra de sa vie. Pendant huit jours, le chef des voleurs, immobile au pied du lit sur lequel elle était couchée, attentif à tous ses mouvements, ne s'était occupé d'aucun autre soin que de la servir. Il veillait et pleurait.

Quand l'état d'Antonia fut amélioré, certain qu'elle s'était familiarisée avec son aspect et qu'elle le voyait sans effroi, il veillait encore.

Cette assiduité la frappa.

Les réminiscences qu'elle avait du passé étaient trop confuses pour que le nom de cet homme et les souvenirs qui y étaient attachés lui inspirassent un sentiment continu d'horreur. De temps en temps seulement, son âme se révoltait contre l'idée de dépendre de lui, et sa seule approche la glaçait d'épouvante ; mais, plus ordinairement, abandonnée comme un enfant, par l'absence de sa raison, au seul instinct de ses besoins, elle ne voyait plus, dans le capitaine des bandits de Duino, qu'une créature sensible et compatissante qui s'efforçait d'adoucir l'amertume de ses souffrances, et qui prévenait avec empressement ses moindres besoins. Alors elle lui adressait des paroles douces et flatteuses, qui paraissaient redoubler la douleur secrète dont il était dévoré.

Un jour, entre autres, il était assis auprès d'elle, voilé suivant son usage, et attentif à protéger son sommeil contre tous les accidents qui pourraient le troubler. Elle se réveilla cependant tout-à-coup avec un mouvement brusque, en prononçant le nom de Lothario.

– Je le voyois, dit-elle en soupirant profondément, il était assis à ta place. Je l'y vois souvent dans mon sommeil, et je me trouve bien heureuse ; mais comment se fait-il que je croie l'y voir aussi quelquefois quand je suis éveillée, et quand il me semble que je ne rêve point ? C'est là, sous ce rideau, qu'il a coutume de venir. - Dans ces jours de douleur... et d'espérance, où je me sentais appelée à l'éternelle liberté, un ruisseau de flammes parcourait tous mes membres, ma bouche était ardente, mes ongles bleus et meurtris. - Tout, ici, était plein de fantômes. - On y voyait des aspics d'un vert éclatant, comme ceux qui se cachent dans le tronc des saules ; d'autres reptiles bien plus hideux, qui ont un visage humain ; des géants démesurés et sans formes ; des têtes nouvellement tombées, dont les yeux pleins de vie me pénétraient d'un affreux regard ; et toi, tu étais aussi debout au milieu d'eux, comme le magicien qui présidait à tous ces enchantements de la mort... Je criais de terreur, et j'appelais Lothario pour me protéger... Tout-à-coup, - ne ris point de ma chimère ! - je vis ce voile tomber, et, à l'endroit où tu étais placé, j'aperçus Lothario tout en larmes, qui étendait vers moi ses bras tremblants, et qui me nommait d'une voix gémissante... Il est vrai que ce n'était point lui tel que je l'ai connu, triste, soucieux et sévère, mais beau d'une céleste bonté ! Défait, livide, effaré, il tournait des yeux sanglants ; sa barbe était épaisse et hideuse ; un rire désespéré, comme celui des démons, errait sur ses lèvres pâles... Oh ! tu ne concevrais jamais ce qu'est devenu Lothario !...

Le voleur paraissait n'avoir pas entendu Antonia. Il était plongé dans un silence profond. Il se leva et marcha dans la chambre à pas précipités, puis il revint vers Antonia et la contempla longtemps. Ses dents se heurtaient violemment. Une méditation horrible semblait l'occuper tout entier au point même de ne pas lui laisser discerner l'effroi toujours croissant qu'il inspirait à son infortunée prisonnière.

Enfin elle se souleva sur son lit, parvint à se soutenir sur ses genoux, et lui cria, les mains croisées en signe de prière :

- Grâce, grâce, pardonne-moi ! ne crains rien de Lothario ; il ne veut point d'Antonia. Je me donnais à lui, et il m'a refusée. - Grâce encore pour cette fois, et je ne t'en parlerai jamais !

Ensuite elle retomba, car ses forces étaient épuisées. Jean Sbogar vola à ses pieds, saisit l'extrémité de la couverture qui l'enveloppait et qui flottait jusqu'à terre, y imprima sa bouche avec fureur, et s'enfuit.

XVI

Force du guerrier, qu'es-tu donc ? Tu roules aujourd'hui la bataille devant toi en nuages de poussière. Tes pas sont jonchés de morts comme les feuilles desséchées marquent pendant la nuit la route d'un spectre. Demain le rêve momentané de la bravoure est fini ; ce qui épouvantait des milliers d'hommes a disparu. Le moucheron, porté sur ses ailes couleur de fumée, chante sur les buissons son hymne de triomphe, et insulte à ta gloire qui n'est plus qu'un vain mot.

OSSIAN.

Il y avait deux mois qu'Antonia vivait de cette manière parmi les brigands de Duino, sans que son état eût changé, sans qu'il eût donné d'espérance. Elle avait seulement repris quelques forces, et elle aimait à venir respirer l'air du soir à sa fenêtre sur la mer.

Un jour, aucune des personnes qui la servaient n'avait paru auprès d'elle. C'était la première fois que cela arrivait ; mais elle s'en aperçut à peine. Le bruit du canon qui grondait aux environs de Duino l'occupa davantage, parce que l'émotion qu'il lui causait se répétait souvent. Désirant de voir ses compagnes, elle descendit le grand escalier, parcourut les salles et les vestibules, et trouva le château désert. Le canon se rapprochait, et chaque coup était suivi d'une rumeur semblable à celle de la tempête. Antonia remonta, ouvrit sa fenêtre et regarda la mer. Elle y remarqua un grand nombre de petits bâtiments ou de nacelles pareilles à celles des pêcheurs, qui semblaient cerner le pied de la forteresse.

Toutes ces impressions furent assez vives d'abord, mais elles s'effacèrent promptement. La nuit était tombée, l'air était serein, les flots tranquilles, le ciel peuplé de myriades d'étoiles resplendissantes, comme dans la nuit où le bateau d'Antonia avait été arrêté sur les côtes d'Istrie en sortant des lagunes. Elle prit quelque temps plaisir à le contempler.

Cependant le bruit qu'elle avait entendu s'augmentait derrière elle d'une manière menaçante. Elle crut distinguer un cliquetis d'épées, des imprécations, des gémissements, qui faisaient place, de moment en moment, à un silence de mort. Elle était trop malheureuse pour craindre, si elle avait eu l'usage de sa raison, car son sort ne paraissait pas susceptible de changer en mal ; mais elle ne vit dans la catastrophe qui s'annonçait que le danger de souffrir, et les plaintes qui frappaient son oreille lui donnaient une idée affreuse des douleurs auxquelles elle allait être exposée.

Les galeries du château n'avaient pas été éclairées, et l'obscurité était devenue profonde. Elle s'y engagea cependant, et se glissa le long des murailles ténébreuses, en les suivant de la main. Quand elle fut au haut de l'escalier, elle écouta. Les cours étaient remplies d'hommes d'armes qui parlaient confusément.

On ne se battait plus.

La crosse des fusils résonnait seule en tombant sur les dalles du pavé.

Tout-à-coup elle entendit un tumulte horrible, au milieu duquel s'élevait le nom de Jean Sbogar. Un homme poursuivi s'élança dans l'escalier et passa auprès d'elle comme l'éclair. Quelques flambeaux commençaient à luire sur les premiers degrés. Les baïonnettes se choquaient. Les marches de pierre retentissaient sous les pas des soldats. Antonia courut vers sa chambre ; et, en y rentrant, il lui sembla qu'on la nommait d'une voix sourde.

- Qui m'appelle ? dit-elle en tremblant.

- C'est moi, répondit Jean Sbogar, ne t'effraie point. Adieu pour toujours !

Il s'était approché de la fenêtre, et déjà la troupe qui était à sa recherche remplissait l'extrémité opposée de la galerie.

Le voleur revint vers Antonia et la saisit.

- C'est moi, c'est moi, dit-il ; adieu pour toujours !

Antonia éprouvait un sentiment vague d'horreur et de tendresse qu'elle ne comprenait point.

Sbogar frémissait.

Il la pressa d'un de ses bras contre son cœur.

- Antonia, chère Antonia ! s'écria-t-il ; adieu pour toujours ! Oh ! pour la dernière fois, plus que cette minute dans tous les siècles ! Antonia, chère Antonia !

Son voile était tombé, mais Antonia ne voyait point son visage. Elle le touchait, elle avait senti le feu de son haleine. Au même instant, les lèvres du brigand s'attachèrent aux siennes et leur imprimèrent un baiser qui répandit dans les sens d'Antonia une ivresse inconnue, une volupté dévorante qui participait du ciel et de l'enfer.

- Profanation ou sacrilège ! dit Sbogar. Tu es ma maîtresse et ma femme, et que le monde périsse maintenant !

En prononçant ces mots, il la déposa sur le degré élevé qui montait à la fenêtre, et s'élança dans la mer.

Les soldats étaient arrivés avec leurs torches. Ils s'étonnèrent de ne pas voir le voleur, et demandèrent à Antonia si elle l'avait aperçu.

- Paix, leur dit-elle, en appliquant son doigt sur sa bouche, il est allé le premier au lit nuptial ; - et voilà, continua-t-elle en montrant le crêpe qu'il avait laissé à ses pieds, voilà son présent de noces.

XVII

Celui que l'ange me fit voir alors était monté sur un cheval pâle, et traînait tous les vivants à sa suite. Il s'appelait LA MORT.

Apocalypse.

Les troupes françaises venaient d'entrer dans les provinces vénitiennes. Le premier soin des généraux fut de purger ce pays des brigands qui l'infestaient, et qui pouvaient devenir pour une armée opposée le plus redoutable auxiliaire. C'est ce motif qui avait déterminé l'attaque du château de Duino. Presque tous les bandits périrent les armes à la main. On ne put avoir de vivants qu'un petit nombre d'entre eux, que des blessures graves venaient de mettre hors de combat ou qui s'étaient précipités dans la mer, et qui devaient avoir été recueillis par ces nacelles qu'Antonia avait observées. On présumait que Jean Sbogar se trouverait parmi eux ; mais, comme ses traits n'étaient pas connus des brigands eux-mêmes, rien ne pouvait fixer sur ce point les doutes de leurs vainqueurs. Fitzer, Ziska et la plupart des principaux affidés du capitaine étaient morts à ses côtés avant qu'il rentrât dans le château.

Les prisonniers furent envoyés à Mantoue pour y être jugés. On préféra cette ville assez éloignée à toute autre, parce qu'elle les mettait hors de la portée et des tentatives de leurs complices, et que son heureuse position militaire la défendait d'un coup de main. Antonia y fut conduite dans une voiture séparée. Son état de démence étant bien manifeste, on la confia dans un hôpital aux soins d'un médecin célèbre par les progrès qu'il avait fait faire à la connaissance et au traitement de cette triste maladie.

Ses efforts furent couronnés d'un funeste succès. Antonia guérit, et comprit toute l'étendue de son malheur.

Pendant le temps qu'elle avait passé dans cette maison, elle ne cessa d'être l'objet de ces pieuses sollicitudes dont la religion seule peut enseigner le secret à la charité. À mesure qu'elle s'y était fait connaître, et que son esprit dégagé des ténèbres qui l'obscurcissaient avait repris ce charme liant qui enchaine le cœur, elle avait excité autour d'elle, et surtout parmi les saintes filles qui desservaient cet hospice, un sentiment plus doux que la pitié.

Elle était aimée.

Comme aucune affection ne la rappelait dans le monde, et que cet asile paisible était désormais tout pour elle, il lui fut aisé de s'accoutumer à l'idée d'y finir sa vie. Un peu plus tard, elle aurait été forcée de s'y résoudre.

Quelques démarches pour rentrer dans ses grands biens restèrent inutiles. Des collatéraux avides, arrivés à la suite de l'armée, avaient fait constater la mort de madame Alberti, avaient supposé la sienne, et s'étaient emparés de son héritage. Ils étaient puissants. Cette spoliation les rendait riches. Les réclamations d'Antonia ne pouvaient être entendues. Elle n'était plus aux yeux des hommes qu'une orpheline sans nom et sans aveu. Ce fut la moindre de ses infortunes, et son cœur ne la ressentit qu'en pensant au bien qu'elle aurait pu faire dans son nouveau genre de vie si elle y avait apporté les ressources de l'opulence. Ses bijoux suffirent du moins à sa dot et à la distribution des aumônes qui devaient faire connaître aux pauvres qu'il leur était venu à l'hôpital de Sainte-Marie une bienfaitrice de plus.

Le jour de sa profession, longtemps retardé à cause de son extrême faiblesse, était enfin arrivé, quand deux sbires vinrent la mander au nom de la justice.

L'instruction du procès des brigands était achevée. Ils avaient été condamnés à la peine capitale au nombre de quarante ; mais rien ne prouvait que Jean Sbogar fût parmi eux, et la terreur de ce nom formidable planait encore sur les provinces vénitiennes, où il pouvait seul rallier de nouvelles bandes aussi dangereuses que la première.

Dans cette incertitude, on se rappela la jeune fille folle qui avait été trouvée au château de Duino, et que tous les témoignages s'accordaient à présenter comme le seul objet qui eût jamais attendri l'implacable férocité de Jean Sbogar. On pensa qu'elle le reconnaîtrait sans doute parmi ses complices s'il se trouvait avec eux, et que son premier mouvement l'indiquerait d'une manière certaine ; c'est pour cela qu'on avait jugé à propos de la faire placer dans la grande cour des prisons au moment où les condamnés y passeraient pour la dernière fois.

Antonia était revêtue de son habit de noviciat ; ses cheveux étaient déjà attachés sous le bandeau des vierges, dont son teint pâle effaçait la blancheur : deux sœurs hospitalières l'accompagnaient. Presque incapable de se soutenir, elle s'appuyait sur le bras de l'une d'elles ; sa main était fixée sur l'épaule de l'autre, et sa tête retombait sur sa poitrine.

Bientôt un bruit étrange se fit entendre ; c'était l'exclamation d'une horrible impatience qui se voyait enfin satisfaite : elle leva les yeux et crut distinguer quelque chose d'extraordinaire ; mais sa vue la servait mal. Un officier de justice qui s'en aperçut la fit avancer de quelques pas : elle vit plus distinctement, sans comprendre ce qu'elle voyait ; c'étaient des hommes dont le costume hideux la navrait de terreur, et qui s'avançaient sur une seule ligne devant une haie de soldats. Leurs pas étaient mesurés, leurs stations fréquentes. À chacun d'eux elle sentait s'accroître son affreuse inquiétude ; enfin elle fut frappée d'une illusion effroyable, et crut retomber en proie au délire dont elle venait d'être sauvée.

C'était lui.

C'était ce tableau qui lui avait inspiré une terreur si profonde à Venise, quand la tête de Lothario apparut dans une glace au-dessus de son schall rouge.

Elle s'avança d'elle-même pour convaincre ou pour détromper ses yeux ; sa physionomie avait le même caractère. Il était enveloppé d'une robe ou d'un manteau de la même couleur.

C'était lui.

– Lothario ! s'écria-t-elle d'une voix déchirante, en se précipitant vers lui.

Lothario se détourna et la reconnut.

– Lothario ! dit-elle en s'ouvrant un passage au travers des sabres et des baïonnettes, car elle concevait qu'il allait mourir.

– Non, non, répondit-il, je suis Jean Sbogar !

- Lothario ! Lothario !...

- Jean Sbogar ! répéta-t-il avec force.

- Jean Sbogar ! cria Antonia. Ô mon Dieu !... et son cœur se brisa.

Elle était par terre, immobile ; elle avait cessé de respirer.

Un des sbires souleva sa tête avec la pointe de son sabre, et lui laissa frapper le pavé en l'abandonnant à son poids.

- Cette jeune fille est morte, dit-il...

- Morte ! reprit Jean Sbogar en la considérant fixement, - Marchons !

Milton Keynes UK
Ingram Content Group UK Ltd.
UKHW031838310823
427750UK00009B/248